K E Olsson

helsingborg i mitt / in my / in meinem

HELSINGBORG I MITT HJÄRTA

Text och foto: Karl Erik Olsson
Kamera: Hasselblad 2000/FCM
Film: Agfachrome R 100 S och Ektachrome 200
Engelsk översättning: Eliza Putnam
Tysk översättning: Hermann Tipp

Sättning: Schmidts Boktryckeri AB Helsingborg
Montering: J N - Repro Jan Nilsson Helsingborg
Repro: Reprokonsult Kristian Ekvall Helsingborg (Enl Jemseby-metoden)
Tryck: d:o

Omslagsbilder / Cover / Umschlagsbilder

Framsida: Flygfoto över centrum och Nordhamnen.
Front: *Aerial photo over the town center and the North harbor.*
Vorderseite: *Luftaufnahme über Centrum und Nordhafen.*

Baksida: Internationell flaggning på norra vågbrytaren — porten mot kontinenten.
Back: *International flags on the northern breakwater — the gate to the continent.*
Rückseite: *Internationale Flaggen auf dem nördlichen Wellenbrecher — Das Tor zum Kontinent.*

En översiktskarta över Helsingborg på sista sidan.
A key map of Helsingborg on the last page.
Übersichtskarte von Helsingborg auf der letzten Seite.

Samtliga flygfotografier är av Försvarsstaben godkända för publicering.

Eget förlag, Sparrfeltsgatan 4, 252 54 Helsingborg
Telefon 042—13 58 31
Postgiro 452 66 77-2

ISBN 91-7810-142-5

Förord

Finns det någon stad som Helsingborg — Sundets pärla? (Jag skriver stad, även om det numera heter kommun, men det förra känns riktigare). Vilka åsikter man än må ha om staden, så kan ingen förneka platsens skönhet.

Redan Carl von Linné skrev i sin Skånska resa 1749, att "Helsingborgs stad har företräde för de mästa städer... och vidare "..har denna staden den herrligaste prospect..."

Helsingborgs ålder är okänd, den finns omnämnd i Nials saga på 900-talet, men lämningar har visat att platsen varit bebodd långt tidigare. Under vikingatiden har här antagligen funnits en vikingaborg, föregångare till Helsingborgs slott. Att det sedan urminnes tider funnits en borg talar ju namnet Helsingborg för.

Klart är att det är en av nordens äldsta städer, på 13-1400-talen en mycket betydelsefull sådan. På slottet, där nu endast Kärnan står kvar, residerade det danska kungahuset och här var alltsomoftast de nordiska regenterna och andra lysande storheter samlade.

Genom sitt strategiska läge vid Öresunds smalaste del, halsen mellan Öresund och Kattegatt, har Helsingborg varit en eftertraktad plats för de som velat ha makten över länderna kring Östersjön. Härifrån kunde man behärska in- och utfarten av all sjöfart.

Detta medförde dessvärre att staden ständigt utsattes för krigshandlingar. Hur många gånger den skövlats av angripare som velat komma åt fästningen går förmodligen inte att fastställa, men efter varje hemsökelse har dock staden rest sig som en Fågel Fenix ur askan.

Efter senaste kriget, 1710, har staden sakta byggts upp igen. Det har tagit ganska lång tid och inte förrän i slutet av 1800-talet blev det riktig fart på byggandet, detta tack vare industrialismen, då framsynta företagare byggde upp industrier av alla de slag.

Uppgången för Helsingborg är unik i svensk historia och från att år 1850 ha varit en liten småstadsidyll med 4.140 invånare, så var antalet år 1900 = 24.670, landets då femte stad. Idag är invånareantalet omkring 105.000!

Helsingborg firar 1985 sitt 900-årsjubileum som stad. Detta baseras på den äldsta kända handlingen, Knut den Heliges gåvobrev, daterat den 21 maj 1085, vari Helsingborg omnämnes som stad. Helsingborg var alltså redan stad då gåvobrevet utfärdades, varför vi med säkerhet vet att den är äldre, men hur mycket?

Hur ser då Helsingborg ut inför 900-års-jubiléet? Ja, denna bilderbok är ett försök att i någon mån spegla litet av de yttre skönhetsvärdena; vad som undertecknad finner vackert, sevärt eller intressant. Någon heltäckande bok kan det ej bli tal om, det skulle kräva en långt mera omfattande dokumentation och samtidigt leda till en mycket dyr utgåva.

Vad jag här sökt visa är Helsingborg, Sundets Pärla, Porten till kontinenten, Rhododendrons och parkernas stad, med andra ord Helsingborg i mitt hjärta! Låt bilderna tala!

Foreword.

Is there any other town like Helsingborg — the Pearl of the Sound? No matter what opinions one may have about the town, one can't deny the beauty of the place.

Carl von Linné wrote in his book "Scanian journey" (Skånska resa) 1749, that "Helsingborg has an advantage over most towns" and further" . . . this town has the most wonderful prospects . . ."

The actual age of Helsingborg is unknown. Although it was mentioned already in the 10th century in "Nial's story", remains have shown that the place was populated long before that. During the time of the Vikings there was probably a Viking castle here, the predecessor of Helsingborg's castle. Knowing that "borg" means castle, the name of Helsingborg proves that there has stood a castle since time immemorial.

It is quite clear that Helsingborg is one of Scandinavia's oldest towns — in the 13-1400's a very important one. In the castle, of which only Kärnan (the Keep) remains, the Danish royal family resided and here the Scandinavian rulers and other important personages assembled quite often.

Because of its strategic position on Öresund's narrowest part, the straight between Östersjön and Kattegatt, Helsingborg has been a coveted place for those who wanted to rule over the lands around Östersjön. From here one could control all in-coming and outgoing sea traffic.

This, unfortunately, led to the fact that the town constantly was exposed to war. How many times it was devastated by aggressors who wanted to capture the fortress goes presumably undetermined, but after every attack the town, nevertheless, has risen again like a bird Phoenix from the ashes.

After the last war in 1710 the town was slowly built up again. It took a relatively long time and it wasn't until the end of the 1800's that construction went at a normal pace. This was thanks to the industrialism when farseeing enterprisers built up industries of all types.

The rising of Helsingborg is unique in Sweden's history, from the time it was a small idylic town in 1850 with only 4140 inhabitants to 1910 when the population had increased to 24670 — at that time Sweden's fifth largest town. Today the population numbers around 105000!

In 1985 Helsingborg celebrates its 900 year anniversary as a town. This is based on the oldest known document, the deed of gift by Knut den Helige (Cnut the Holy), dated May 21, 1085, in which Helsingborg is mentioned as a town. Helsingborg was thus already a town when the deed was written. Therefore we know for sure that it is older, but how much older?

How does Helsingborg look when approaching its 900 year anniversary? Well, this book of photos is an attempt to show some of its beauty and charm, what the author finds beautiful, worth looking at or interesting.

A totally comprehensive book isn't possible — it would take more extensive research and at the same time would be a great expense.

What I have tried to show is Helsingborg, the Pearl of the Sound, the gate to the continent, the town of rhododendrons and parks, in other words, Helsingborg in my heart! And now: let the pictures talk!

Vorwort

Wo finden wir eine solche Stadt wie Helsingborg, Sundets Pärla? Man kann verschiedener Meinung über diese Stadt sein, aber niemand kann die reizvolle Lage bestreiten.

Schon Carl von Linné schrieb in seine Skåne-Reise von 1749, dass "Helsingborg, die Stadt der Städte ist", und weiter "diese Stadt hat das herrlichste Prospekt".

Helsingborgs Alter ist unbekannt, aber bereits vor 900 Jahren wurde es in der Nials-Sage erwähnt. Reste aus der Vorgeschichte zeigen, dass dieser Platz weitaus zeitiger bewohnt war. In der Vikingerzeit gab es hier wahrscheinlich eine Vikingerburg, ursprünglich Vorgänger für Helsingborgs Burg. Das es hier seit undenklicher Zeit eine Burg gegeben hat, spricht der Name Helsingborg für.

Helsingborg ist eine der ältesten Städte des Nordens, schon im 14. und 15. Jahrhundert sehr bedeutungsvoll. In der Burg regierte, nur der Mittelturm (Kärnan) steht noch, das dänische Königshaus und fast ständig waren nordische Regenten sowie glänzende Berühmtheiten versammelt. Durch ihre strategische Lage am Öresunds schmalste Stelle, Passage Öresund und Kattegatt, war Helsingborg ein begehrter Ort, für die, die Macht ausüben wollten über die angrenzenden Länder der Ostsee. Von hier aus konnte man die ein- und ausfahrende Schiffahrt beherrschen.

Leider führte dieses mit sich, dass die Stadt ständig ein Kriegsschauplatz war. Wie viele Male die Stadt von Angreifern, die im Besitz der Festung kommen wollten, zerstört wurde, geht vermutlich nicht festzustellen, aber nach jedem Angriff erhob sich die Stadt wie ein "Stehaufmännchen" aus der Asche.

Nach dem letzten Krieg 1710 hat man die Stadt langsam wieder aufgebaut. Es hat ziemlich lange gedauert und erst am Ende des 19. Jhdt. ging die Bauerei schneller voran, aber nur aufgrund der Industrie und langsichtiger Unternehmen.

Der Aufschwung Helsingborgs ist einmalig in Schwedens Geschichte, 1850 war es noch ein Kleinstadtidyll mit 4.140 Einwohner, 1900 waren es 24.670 Einwohner, zu diesem Zeitpunkt fünfgrösste Stadt Schwedens. Heute wohnen hier ca. 105.000 Menschen!

1985 feiert Helsingborg 900-jähriges Jubiläum, als Stadt! Bereits i.J. 1085 wurde Helsingborg in einer Schenkungsurkunde von Knut dem Heiligen, datiert 21.5.1085, als Stadt genannt. Helsingborg war also schon Stadt wie die Urkunde ausgestellt wurde, mit Sicherheit wissen wir, dass Helsingborg älter ist, aber wieviel?

Wie sieht Helsingborg aus zum 900-jährigen Jubiläum? Ja, dieser Bilderband ist ein Versuch die äusserlichen Schönheitswerte einigermassen widerzugeben, was der Verfasser hübsch, sehenswert oder interessant fand. Ein ausführlicheres Buch kann es nicht werden, dieses würde eine weitmehr grössere Dokumentation erfordern, gleichzeitig würde die Ausgabe sehr teuer werden.

Was ich versucht habe hier zu zeigen ist Helsingborg, Sundets Pärla, Tor zum Kontinent, Stadt der Rhododendron und Parkanlagen, mit anderen Worten, Helsingborg in meinem Herzen! Die Bilder sprechen für sich!

Helsingborg i sept. 1984
Karl Erik Olsson

1

2

3

1. Morgonljus över välkända silhuetter, Rådhuset, Kärnan och Sjöfartsmonumentet, det senare av Carl Milles.

2. Centraltornet Kärnan, en rest från det medeltida Helsingborgs slott, vakar över staden.

3. Utsikt åt norr från Kärnan, solen är på väg att sänka sig i Kattegatt.

1. Morning light over familiar silhouettes; the Town Hall (Rådhuset), the Keep (Kärnan) and the Shipping Monument, the latter by Carl Milles.

2. The central tower keep, Kärnan, a remnant of medieval Helsingborg's castle, keeps watch over the town.

3. View to the north from the Keep, the sun is on its way down into Kattegatt.

1. Morgenlicht über wohlbekannte Silhouetten; Rathaus, Kärnan (Turm) und Seefahrerdenkmal, das letztgenannte von Carl Milles.

2. Burgturm Kärnan, ein Rest vom Helsingborg-Schloss aus dem Mittelalter, wacht über der Stadt.

3. Aussicht von Kärnan in Richtung Norden, die Sonne verschwindet im Kattegatt.

4. Flygfoto över Norra hamnen med DSB/SJ-färjelägena. Närmast bakom dessa, Kungsgatan, Stadshuset (den stora byggnaden i grönt) och Rådhuset. Hamntorget och Stortorget ses till höger.

4. Aerial photo over the North Harbor with DSB/SJ ferry docks. Closest behind these: Kungsgatan, the Courthouse (Stadshuset, the large green building) and the Town Hall (Rådhuset).

The Harbor Square (Hamntorget) and the Main Square (Stortorget) are to the right.

4. Luftaufnahme: Nordhafen mit DSB/SJ Fährterminal. In der Nähe Kungsgatan, Stadshuset (Glaspavillon in grün) und Rathaus. Stortorget (Grossmarkt) und der Hamntorget (Markt am Hafen) sind rechts zu sehen.

5

6

7

5,6,7. Från krönet av Kärnan har man en vidunderlig utsikt åt alla väderstreck. Mot väster den danska kusten från Gilleleje i norr till Köpenhamn i söder samt sagoön Ven.

Kärnan, uppförd på 13-1400-talet, är 34 meter hög, står 33 meter över havsytan, är kvadratisk med en sidolängd av ca 16 meter.

5,6,7. From the top of the Keep (Kärnan) one has an incredible view in all directions. To the west is the Danish coast from Gilleleje in the north to Copenhagen further south, as well as the fairy island of Ven.

The Keep, built in the 1300-1400's, is 34 m. high and stands 33 m. above the sea-level. It is square and the length of each side is about 16 m.

5,6,7. Von Kärnans Krone hat man einen grossartigen Ausblick. Im Westen die dänische Küste, Gilleleje im Norden, Kopenhagen und die Märcheninsel Ven im Süden. Kärnan ist 34 m hoch, im 14. Jhdt gebaut, steht 33 m übern Meeresspiegel und ist quadratisch, Seitenlänge ca. 16 m.

8. I Kärnans inre får man en vision av medeltiden. De nedre delarna har ca fyra meter tjocka väggar.

8. Inside the Keep (Kärnan) one has the feeling of medieval times. The lower levels have walls about 4 m. thick.

8. Im Inneren von Kärnan werden wir ins Mittelalter zurück versetzt. Der untere Teil hat 4 m. dicke Wände.

9

10

11

12

9. Nattbild över Stortorget och Öresund.
10. Statyn över Magnus Stenbock, utförd av John Börjeson och invigd 1901. En traditionell träffpunkt för nybakade studenter.
11. Stadens flagga vajar här från Rådhusets södra fasad.
12. Interiör från den utsökt vackra sessionssalen i Rådhuset, byggnaden ritad av Alfred Hellerström och invigd 1897.

9. Night photo over the Main Square (Stortorget) and the Sound.
10. The statue of Magnus Stenbock, made by John Börjeson and erected in 1901. A traditional meeting place for newly graduated students.
11. The town's flag waves from the Town Hall's south side.
12. Inside the exquisite assembly room in the Town Hall, the building designed by Alfred Hellerström and erected in 1897.

9. Nacht über Stortorget und Öresund.
10. Denkmal Magnus Stenbock, errichtet von John Börjeson i.J. 1901. Traditioneller Treffpunkt für frischgebackene Studenten.
11. Die Flagge der Stadt weht an der Südseite des Rathauses.
12. Die Inneneinrichtung im Sessionssaal des Rathaus ist wunderhübsch. Architekt Alfred Hellerström. Eingeweiht i.J. 1897.

13. På Stortorget står sedan 1859 en vacker gaskandelaber, skänkt av den engelske ingenjören A Milne, som nämnda år byggde stadens första gasverk.

13. On the Main Square (Stortorget) stands a beautiful gas street-lamp since 1859, a gift from the English engineer, A Milne, who the same year built the town's first gas company.

13. Am Stortorget steht seit 1859 eine hübsche Gaslaterne, Gabe von dem engl. Ingenieur A. Milne, welcher auch im selben Jahr das erste Gaswerk der Stadt baute.

14

15

16

14. Järnvägsgatan med ståtliga hus från senare delen av 1800-talet.

15,16. Kring Stortorget finns flera vackra byggnader, bl a Frimurarehuset (15) från 1890 och Svenska Handelsbankens palats, färdigt 1904.

14. Järnvägsgatan with magnificient buildings from the late 1800's.

15,16. Around the Main Square there are several beautiful buildings, among these, Frimurarehuset (15) from 1890 and Svenska Handelsbanken's palace, finished in 1904.

14. Järnvägsgatan mit stattlichen Häusern aus dem späteren 19. Jhdt.

15,16. Rund um den Stortorget gibt es mehrere imposante Gebäude, z.B. Freimaurerhaus von 1819 und Sv. Handelsbankens Palast, hergestellt i.J. 1904.

17. Dimmig morgon vid Stortorget med en av rådhusets lyktstolpar i förgrunden. Stadsvapnet ses i smide på tvärkonsolen. I bakgrunden tonar Stenbocksstatyn.

17. Foggy morning around the Main Square with one of the Town Hall's lamp posts in the foreground. The town's coat-of-arms is seen on the lamp's crossbar. In the background Stenbock's statue.

17. Morgennebel am Stortorget, im Vordergrund Rathaus mit Laternenpfahl. Die Querkonsole zeigt das geschmiedete Stadtwappen. Im Hintergrund, Stenbockdenkmal.

22

23

24

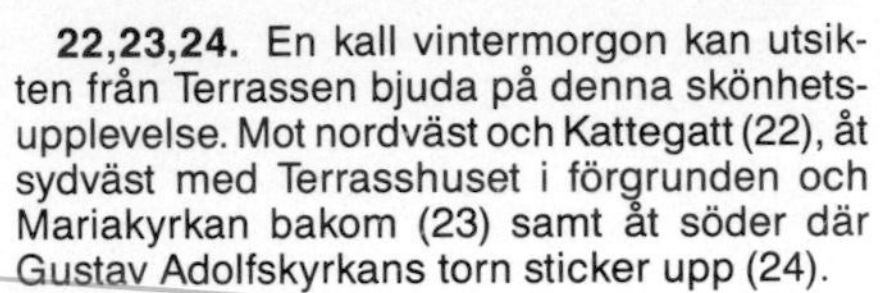

22,23,24. En kall vintermorgon kan utsikten från Terrassen bjuda på denna skönhetsupplevelse. Mot nordväst och Kattegatt (22), åt sydväst med Terrasshuset i förgrunden och Mariakyrkan bakom (23) samt åt söder där Gustav Adolfskyrkans torn sticker upp (24).

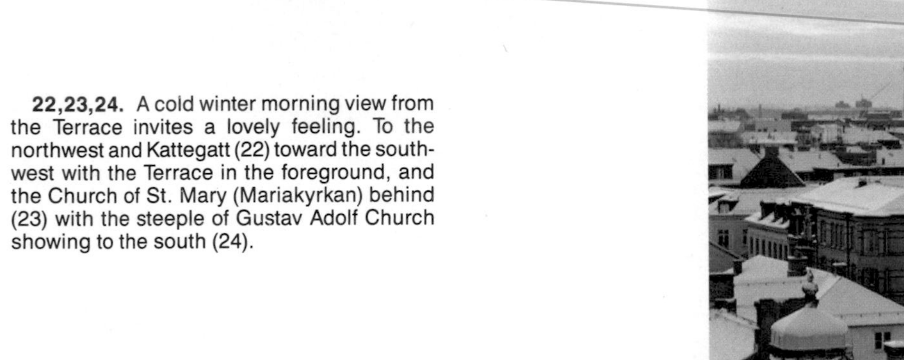

22,23,24. A cold winter morning view from the Terrace invites a lovely feeling. To the northwest and Kattegatt (22) toward the southwest with the Terrace in the foreground, and the Church of St. Mary (Mariakyrkan) behind (23) with the steeple of Gustav Adolf Church showing to the south (24).

22,23,24. Die Aussicht von Terrassen an einem kalten Wintermorgen kann ein schönes Erlebnis sein. Richtung Nordwest das Kattegatt (22), südwestlich das Terrassenhaus im Vordergrund, gleich dahinter die Mariakirche (23) und in südlicher Richtung zeigt sich der Turm von Gustav Adolf Kirche (24).

25. Rakt åt väster, i gryningsljus, reser sig det ståtliga Rådhuset. Färjan till Grenå har just lämnat hamnen och i fonden vaknar systerstaden Helsingör ur sin nattsömn.

25. The stately Town Hall rises, directly towards west, in dawn's early light. The ferry to Grenå (Denmark) has just left the harbor and in the distance the sister-city, Helsingör, wakes from her night's sleep.

25. Im Westen das stattliche Rathaus in der Morgendämmerung. Die Fähre nach Grenå (Dänemark) verlässt den Hafen und die Nachbarstadt Helsingör erwacht aus dem Schlaf.

26

27

28

26,27,28. Det blåser gärna friskt i Helsingborg. De två damerna är på väg till bussen men fångas av en våldsam stormvind som driver dem att springa. Det går allt fortare, de kan omöjligt stanna utan faller till slut omkull . . .

De hjälps snart på fötter och tar sig tillbaka till bussen.

26,27,28. The wind is often strong in Helsingborg. These two ladies are on their way to the bus, but are caught by a violent storm wind that forces them to run. It gets stronger until it becomes impossible for them to stop, and they eventually fall down. However, they soon get to their feet and return to the bus.

26,27,28. Es weht gerne ein frischer Wind in Helsingborg. Die beiden Damen sind auf dem Wege zum Bus und werden von einer Sturmbö erfasst, zum Schluss fallen sie hin. Hilfreiche Hände sind schnell zur Stelle.

29

30

29. Det dånar och tjuter i luften som fylls av saltvatten, vilket driver i moln långt in över staden. En fascinerande syn. Trots höga vågor går färjorna till Helsingör!
30. När det stormar som värst kan det vara svårt att hålla balansen.

29. The roar and howl in the salty air comes in over the town in a cloud. A fascinating sight. Despite high waves, the ferries go to Helsingör!
30. When it storms at its worst it can be hard to keep one's balance.

29. Es dröhnt und pfeift in der Luft, die vom Salzwasser gefüllt wird, und treibt die Wolken weit über die Stadt. Ein faszinierender Anblick. Trotz hoher Wellen fahren die Fähren nach Helsingör.
30. Im Sturm ist es schwierig die Balance zu halten.

31

32

33

34

31-34. Det sjuder av liv och det drar en fläkt från hela världen i landets näst största hamn!

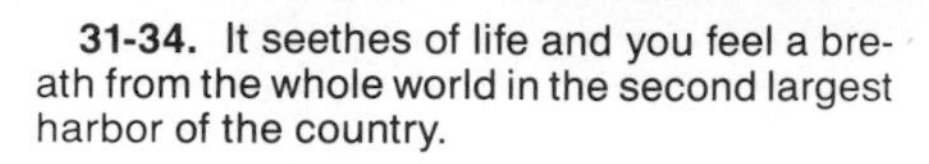

31-34. It seethes of life and you feel a breath from the whole world in the second largest harbor of the country.

31-34. Ein Duft der grossen weiten Welt zieht durch den 2. grössten Hafen des Landes!

35

36

35,36. Mycket av det dagliga livet i Helsingborg kretsar självfallet kring sjöfarten. Vi ser båtar från i stort sett hela världen lossa och lasta vid kajerna.

35,36. Much of the daily life in Helsingborg obviously centers around shipping. We see boats from all over the world load and unload at the docks.

35,36. Selbstverständlich kreist das tägliche Leben in Helsingborg um die Seefahrt. Wir sehen Schiffe aus aller Welt lasten und laden.

37

38

39

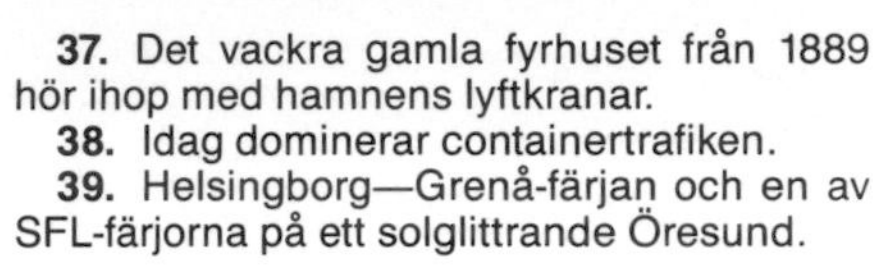

37. Det vackra gamla fyrhuset från 1889 hör ihop med hamnens lyftkranar.
38. Idag dominerar containertrafiken.
39. Helsingborg—Grenå-färjan och en av SFL-färjorna på ett solglittrande Öresund.

37. The beautiful old lighthouse from 1889 along with the harbor's cranes.
38. Today, container traffic dominates.
39. The Helsingborg—Grenå ferry and one of SFL ferries on a sun-sparkled Sound.

37. Das hübsche alte Leuchtfeuer von 1889 gehört mit den Kränen im Hafen zusammen.
38. Heute dominiert der Containerverkehr.
39. Helsingborg—Grenå- und eine SFL-Fähre auf dem sonnenglitzern dem Öresund.

40

41

40. Som en följd av den väldiga godstrafiken till och från utlandet är också rangerbangården av ansenliga dimensioner. Omkring 300 000 vagnar fraktas årligen över H-H-leden.

41. Till rangerbangården hör denna imponerande travers, som lekande lätt flyttar omkring containers.

40. As a consequence of the enormous freight traffic to and from abroad, the classification yard is also of considerable size. Some 300,000 freight cars a year pass over the Sound.

41. In the classification yard stands an impressive overhead crane which easily moves the containers around.

40. Als Folge des gewaltigen Güterverkehrs von und zum Ausland ist auch der Rangierbahnhof von ansehnlicher Dimension. Ca. 300.000 Waggons werden järhlich über Helsingborg—Helsingör gefrachtet.

41. Im Handumdrehen werden die Container auf dem Rangierbahnhof von der grossen Containerbrücke versetzt.

42

43

44

45

Ungefär var sjunde minut går en färja ut eller in i hamnen. Ca 18 millioner resande på ett år; mer än dubbla landets invånareantal!

42-45. DSB/SJ fraktar förutom passagerare och bilar även järnvägsvagnar, SFL:s blåvita färjor är störst när det gäller bilar och passagerare, Sundsbussarna går med passagerare mellan syskostädernas centrum och till Sneckersten åker man exempelvis med "Marina".

A ferry goes in or out of the harbor aprox. every seven minutes. About 18 million passengers per year — more than double the country's population!

42-45. DSB/SJ carries passengers, autos, even train cars. SFL's blue and white ferries are the biggest when it comes to cars and passengers, Sundsbuss take travellers between the sistercity's centers, and for example, one can take "Marina" to Snekkersten.

Etwa jede 7. Minute kommt und geht eine Fähre. Ca. 18 Mill. Reisende im Jahr, doppelt soviel Einwohner wie im Lande.

42-45. DSB/SJ fährt mit Passagiere, Autos und Waggons. SFL (Blau-weissen) sind die Grössten im Auto und Passagierverkehr. Die Sundsbusse fahren nur mit Passagiere und nach Snekkersten fährt "Marina".

46

47

48

46,47,48. Två gånger om dagen går en färja till Grenå på Jylland (46). Till Malmö—Lund-området åker man med de s k "Pågatågen" som har avgång omkring varannan timme och en restid på mindre än en timme (47).

Helikopterlinjen till Kastrup/Köpenhamn är det i särklass snabbaste färdsättet till utlandet, användes särskilt av jäktade affärsmän.

46,47,48. Twice a day, a ferry goes to Grenå on Jylland, Denmark (46). To the Malmö—Lund area one takes the so-called "Pågatågen" which leave every hour or so and take less than one hour (47). The helicopter line to Kastrup/Copenhagen is the fastest means of travelling, often used by hurried business commuters.

46,47,48. Zweimal täglich fährt eine Fähre nach Grenå (46). Nach Malmö und Lund fährt man mit dem sogenannten "Pågatågen", zwei Abfahrten in der Stunde. Reisezeit ca. 1 Std. (47). Der Hubschrauberdienst nach Kastrup/Kopenhagen ist der schnellste Weg zum Ausland, wird besonders von eilige Geschäftsleute benutzt.

49. F d kungliga sommarresidenset Sofiero slott testamenterade kung Gustav VI Adolf till Helsingborg, som här fått en sagolikt vacker turistattraktion. Det stora området har raviner och promenadvägar i den underbaraste omgivning!

49. The former Royal summer residence, Sofiero castle, was left to Helsingborg by King Gustaf VI Adolf, and has become a fabulous and beautiful tourist attraction. The large grounds have ravines and walking paths in the most wonderful surroundings!

49. Die ehemalige Sommerresidenz Sofiero wurde vom König Gustav VI Adolf Helsingborg überlassen, heutzutage eine wunderhübsche Touristenattraktion. In dem grossen Park gibt es mehrere Promenadenwege.

50

51

52

50. Sofiero slott, uppfört 1865 för drottning Sofia, rymmer numera utställningssalar samt café.
51. Överallt i parken och de välskötta trädgårdsanläggningarna ser man spår av den store rhododendronexperten, Gustav VI Adolf.
52. Porlande bäckar i ravinerna ger liv åt det natursköna området.

50. Sofiero castle was built in 1865 for Queen Sofia. It has many rooms open for exhibitions and a café.
51. All over the park and the well kept gardens one sees evidence of the work of the rhododendron expert, Gustaf VI Adolf.
52. Babbling brooks in the ravines give life to this area of natural beauty.

50. Schloss Sofiero erbaut i.J. 1865 für die Königin Sofia, enthält nun Ausstellungsräume und Café.
51. Überall im Park sieht man Spuren von dem grossen Rhododendronexperten, Gustav VI Adolf.
52. Plätschernde Bäche in den Abhängen zeugt von Leben in der naturschönen Umgebung.

53

53. Ett stycke söder om Sofiero ligger Svenska Turistföreningens vandrarhem, Thalassa, en f d patriciervilla från 1903. Vandrarhemmet, ett av landets största, har utökats med flera paviljonger och har 153 bäddar. Det året-runtöppna hemmet ligger mycket naturskönt med utsikt över Öresund och Danmark.

53. A short distance to the south of Sofiero lies the Swedish Tourists Department's youth hostel, Thalassa, a former patrician home from 1903. The youth hostel, one of the country's largest, has expanded to include several cottages and has 153 beds.

The hostel, open year round, lies in an area of natural beauty with a view of the Sound and Denmark.

53. Ein Stück südlich von Sofiero liegt die Jugendherberge "Thalassa", eine ehemalige Patriziervilla von 1903. Die Herberge ist eine der grössten im Lande, 153 Betten. Es ist das ganze Jahr geöffnet, und liegt in einer schönen Umgebung mit Aussicht über den Öresund nach Dänemark.

54

54. Längs hela landborgen från Sofiero i norr till Slottshagen i söder går en nästan obruten promenadväg med en betagande utsikt över det ständigt skiftande sundet. Bilden från utsiktsplatsen vid Pålsjö.

54. A footpath runs on the hillside along the coast, from Sofiero in the north to Slottshagen in the south, with a captivating view over the constantly changing Sound. The photo is from the outlook place near Pålsjö.

54. Gleichlaufend mit Landborgen von Sofiero im Norden, bis Slottshagen im Süden, führt ein hübscher Wanderweg mit Aussicht über den Öresund, Aufgenommen vom Aussichtspunkt Pålsjö.

55

55. Vägen genom Vikingstrand, sedd mot söder, en iskall vintermorgon innan solen nått över horisonten.

55. The road through Vikingstrand (Vikingbeach) looking to the south, an ice cold winter morning before the sun has risen over the horizon.

55. Ein Weg durch Vikingstrand (Stadtteil) an einem kalten Wintermorgen bevor die Sonne den Horizont erreicht.

56

56. Stranden vid Pålsjö samma morgon som ovan. Det är kallt, 15°C, svagt solljus börjar nu värma upp det kalla vattnet, som avger ånga.

56. The beach near Pålsjö the same morning as in the above photo. It is —15°C., and the weak sunlight now begins to warm up the cold water, from which mist rises.

56. Der Strand bei Pålsjö am gleichen Morgen. Bei —15°C, versucht ein schwaches Sonnenlicht das Wasser zu erwärmen.

57

58

57,58. Pålsjö skog och backar, naturreservat inom stadens hägn, är ett strövområde av sällsynt slag. Det stora området med i huvudsak bokskog genomkorsas av bäckar och raviner. Helsingborgarnas syrefriska lunga, motionärernas paradis!

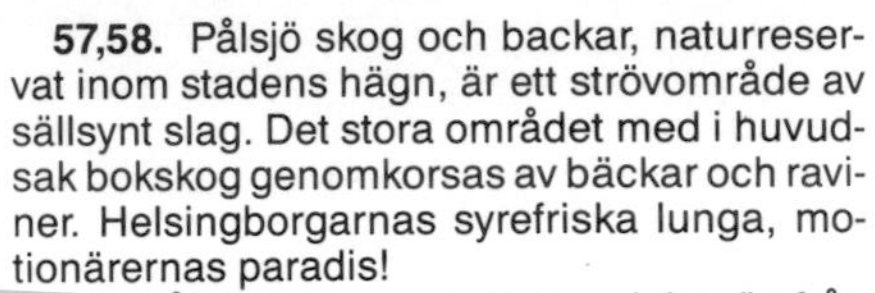

59. Pålsjö slott, vars äldsta delar är från 1690-talet, utgör i sitt nyrestaurerade skick en vacker syn. Parkförvaltningen disponerar nu stora delar av byggnaden.

57,58. Pålsjö wood and hillsides, nature reserve cared for by the city, is a rambling area of a rare sort. The large area is mainly a beech woods crossed by streams and ravines, Helsingborg's fresh air and exercise paradise!

59. Pålsjö castle, the oldest part of which is from the 1690's, newly restored, presents a lovely sight. The City Park service now manages the building to a large degree.

57,58. Der Pålsjö Wald und seine Bäche ist ein Erholungsgebiet innerhalb der Stadt. Der Buchenwald, die Bäche und Abhänge ist ein Paradies für Motionäre.

59. Das restaurierte Pålsjö Schloss aus dem Jahre 1690 ist ein hübscher Anblick. Die Parkverwaltung pachtet ein grösseren Teil des Hauses.

59

60. Flertalet av skogens bäckar mynnar ut i Pålsjö damm, där en gammal vattenkvarn finns sedan 1824. Den förvaltas av Helsingborgs Museum, som sommartid har visning.

60. The majority of the wood's brooks end up in Pålsjö dam. There, an old water mill has stood since 1824. It is managed by Helsingborg's Museum, which has tours there in the summer.

60. Die meisten Bäche des Waldes münden im Pålsjö Teich, wo eine alte Wassermühle aus dem Jahre 1824 steht. Die Mühle wird von Helsingborg's Museum verwaltet, Besuchszeiten im Sommer.

61

62

63

61,62. En sommar- och en höstbild från ravinvägen genom Pålsjö skog.
63. Mittsektionen av den gamla Skogspaviljongen, en på sin tid kär rastplats för kaffetörstiga skogsflanörer, har fått stå kvar. Redan tidigt på våren börjar familjeutflykterna då man nyttjar bord och bänkar kring den gamla paviljongen.

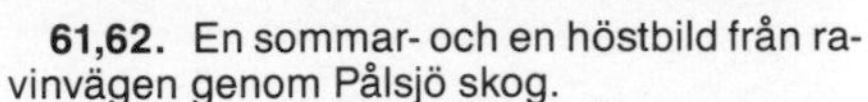

61,62. A summer and an autumn photo from the ravine through Pålsjö woods.
63. The middle part of the old wood pavillion, a long popular resting place for coffee thirsty strollers. Family outings begin quite early in the spring, when the tables and benches around the old pavillions are used.

61,62. Ein Sommer- und ein Herbstbild vom Ravinenweg durch den Pålsjö Wald.
63. In der Mitte des Pålsjö Waldes befindet sich der ehemalige Waldpavillon, einst für kaffeedurstige Waldflanöre. Im Frühling ein beliebter Ausflugsplatz, wo Tische und Bänke benutzt werden.

64. Kan man tänka sig en härligare tummelplats för barnen än ett höstfagert Pålsjö skog?

64. One can't imagine a finer playground for children than an autumn-colored Pålsjö wood.

64. Ein herbstlicher Pålsjö Wald ist ein ausgezeichneter "Tummelplatz" für Kinder.

65

66

67

68

65. Kvarnhuset vid Pålsjö damm än en gång.
66. På en tempelö ligger Krematoriet, en mönsteranläggning ritad av professor Ragnar Östberg och invigt 1929.
67. En 300-årig kavallerihistoria har gett Helsingborg stolta ryttartraditioner. En av ridstigarna går på vallen efter den nedlagda spårvägen mot Senderöd.
68. En flygbild tagen ovanför Pålsjö skog mot Krematoriet och Pålsjö kyrkogård (den senare från 1912). T h det nya bostadsområdet Pålsjö östra.

65. The mill house near Pålsjö dam once again.
66. The crematorium stands surrounded by water, the architectural plans drawn by Professor Ragnar Östberg and erected 1929.
67. A 300 year old cavalry history has given Helsingborg a proud riding tradition. One of the bridle paths goes along the wall which encloses the railroad tracks to Senderöd.
68. Aerial photo taken over Pålsjö wood with the crematorium and Pålsjö church yard, (the latter from 1912). To the right the new residential area of Pålsjö östra.

65. Noch einmal die Mühle am Pålsjö Teich.
66. Auf einer Insel liegt das Krematorium, eine Musteranlage von Architekt Professor Ragnar Östberg eingeweiht i.J. 1929.
67. Eine 300-jährige Kavaleriearea hat Helsingborg stolze Reitertraditionen gegeben. Ein Reitweg befindet sich auf der alten Strassenbahnspur nach Senderöd.
68. Luftaufnahme über Pålsjö Wald mit Krematorium und Friedhof von 1912. Rechts das neue Wohngebiet Pålsjö-Ost.

69. Sankta Maria sjukhus utgör en stadsdel för sig, liggande i en mycket välskött parkanläggning. Den tilltalande enheten av byggnader, ritade av arkitekt Carl Westman, invigdes 1927.

Uppe i vänstra kanten av bilden ses Kungshults långvårdsklinik, invigt 1910 som sanatorium/tuberkulossjukhem.

69. St. Mary's hospital, a district of its own, lies in a very well kept park. The attractive, uniform buildings were designed by architect Carl Westman and erected in 1927. In the upper left hand corner of the picture is seen Kungshult's long term medical care facility, built in 1910 as a sanatorium/tuberculosis clinic.

69. In gepflegte Parkanlagen liegt das Krankenhaus, St. Maria. Die einheitlichen Häuser wurden i.J. 1927 eingeweiht. Architekt Carl Westman. Oben links, Kungshults Pflegeheim, eingeweiht i.J. 1910 als Sanatorium/Tuberkulose.,

70. Från taket på Zoegas kafferosteri har man denna utsikt över Europaväg 4, som i Sverige har sitt södra fäste i Helsingborg. Dess ändpunkter är Lissabon och Helsingfors. Förr var detta riksväg nr 1, Helsingborg—Stockholm.

Till vänster ses en del av vår största byggnad, f d Berga kasern, invigd 1912, numera i privat ägo.

70. From the roof of Zoegas Coffee rostery one has this view over Europe Highway 4, which in Sweden has its southernmost part in Helsingborg. Its end points are Lisbon and Helsinki. Formerly, this was National Highway 1, Helsingborg—Stockholm.

To the left, one sees part of our largest building, the former Berga barracks, built in 1912, now privately owned.

70. Vom Dach der Kaffeerösterei ”Zoega's” hat man diese Aussicht über die Europastrasse Nr. 4, die ihre Endpunkte in Lissabon und Helsinki hat. Ehemalige Bundesstrasse Nr. 1 Helsingborg—Stockholm.

Links ein Teil des grössten Gebäudes der Stadt, ehemalige Berga Kaserne, eingeweiht i.J. 1912, nun Privateigentum.

71

71. Från samma plats: den gamla förstaden Stattena har fått ge vika för den stora motorvägen och företagsetableringar. Till vänster skymtar delar av Leo läkemedelsfabrik.

71. From the same viewpoint, the old suburb Stattena, which has given way to the large highway and industrial establishments. To the left, a glimpse of Leo Pharmaceutical company.

71. Vom selben Aussichtspunkt: Der alte Vorort Stattena, musste weichen für Autobahn und Industrieetablierung. Links sieht man Teile von LEO (Arzneifirma).

72

72. De gamla trivsamma småhusen har sopats bort och ersatts med stora hyresfastigheter. Det är Ringstorpsvägen som går hitom dessa.

72. The old, cozy cottages have been swept away and given place to large apartment buildings. Ringstorpsvägen runs on this side of them.

72. Die alten, gemütlichen, kleinen Häuser wurden geräumt und mit grosse Mietshäuser ersetzt. Der Ringstorpsweg führt vorbei.

73

74

75

73. Vikingsbergs konstmuseum, förvaltat av Stadsmuseet, har många konstskatter, varav märks Frans Hals, Alex. Roslin, Karl G. Pilo, C.J. Fahlcrantz, Marcus Larsson, Kilian Zoll, Carl Larsson, Bruno Liljefors, Ernst Josephson och så naturligtvis vår egen Nils Forsberg.

Byggnaden uppfördes 1875 som privatvilla, donerades till staden 1912 av Otto Banck samt öppnades som konstmuseum 1929.

74. Huvudentrén vaktas av två lejon.

75. Framför byggnadens västsida står Ivar Johnsons bronsstaty, David, skänkt av Malte Sommelius.

73. Vikingsberg Art Museum, run by the city museum, has many art treasures.

It was originally built in 1875 as a private home, and in 1912 given to the city by Otto Banck, opening as an art museum in 1929.

74. The main entrance guarded by two lions.

75. In front of the building's west side stands Ivar Johnson's bronze statue "David", a gift from Malte Sommelius.

73. Vikingsbergs Kunstmuseum wird von Helsingborgs Museum verwaltet. Hier gibt es viele Kunstschätze von bekannten Künstlern des Landes. Das Gebäude wurde i.J. 1875 als Privatvilla gebaut, wurde 1912 von Otto Banck der Stadet überlassen, von 1929 Kunstmuseum.

74. Der Haupteingang wird von zwei Löwen bewacht.

75. An der Westseite steht die Bronzestatue "David" von Ivar Johnson, eine Gabe von Malte Sommelius.

76. Vikingsbergsparken sträcker sig längs landborgen med prydlig trädgårdsanläggning och en bedårande utsikt över Öresund. I parkens norra del står Palle Parnevis konstverk, "Tuppen".

76. Vikingsbergs Park stretches along the coastal hillside with neat gardens and captivating view over the Sound. In the park's northern part stands Palle Parnevi's work of art, "Tuppen" (Rooster).

76. Der Park von Vikingsberg streckt sich entlang Landborgen mit hübschen Gartenanlagen und einen grossartigen Aussicht über den Öresund. Im nördlichen Teil des Parkes steht das Kunstwerk "Tuppen" (Hahn), von Palle Parnevi.

77

78

79

80

77. En del av Europaväg 4 går i Hälsovägen. Kan man tänka sig en vackrare genomfart?
78. Förr var Hälsan en populär festplats med hälsobrunn. "Brunnens dag" firas numera årligen vid den saliniska Sofiakällan.
79. Söder om hälsovägsravinen ligger på berget Öresundsparken med bl a en rest av den medeltida vallgraven kring Helsingborgs slott.
80. Utsikt över S:t Jörgens plats från Öresundsparken.

77. Part of Europe Highway 4 goes on Hälsovägen. Can one imagine a prettier thoroughfare?
78. "Hälsan" used to be a popular festival place with a mineral spa. "Brunnens Dag" is a yearly celebration at Sophia salt spring.
79. South of the Hälsoväg ravine, on the hill, lies Öresund Park with, among other things, the remainder of the mediaeval moat around Helsingborg's castle.
80. View over St. Jörgen's place from Öresund Park.

77. Ein Stück der Europastrasse Nr. 4 ist der Hälsoweg. Kann man sich eine hübschere Durchfahrt denken?
78. Früher war Hälsan ein bekannter Festplatz, mit Gesundbrunnen. Den "Brunnentag" feiert man jährlich bei der Salzquelle Sofia.
79. Öresundspark liegt südlich vom Hälsoweg. Hier finden wir Reste von Wallgräben aus dem Mittelalter.
80. Aussicht über den St. Jörgens Platz vom Öresundspark.

81. Överallt i Helsingborg blir man varse de stora höjdskillnaderna. S:t Clemensgatan gör här en djupdykning ner i Bomgränden och fortsätter sedan fram till landborgsbranten, varifrån man blickar ut över de nedre stadsdelarna, Öresund och Helsingör.

81. All over Helsingborg, one notices the great differences in altitude. St. Clemensgatan decends steeply into Bomgränden and continues on upward until the precipice of the steep coastal hill, where one looks out over the lower districts of the city, the Sound and Helsingör.

81. Überall in Helsingborg merkt man den enormen Höhenunterschied. St. Clemensgatan führt steil herab in den Bomgränden und weiter zum Landborgabhang. Von hier hat man einen Blick über die unteren Stadtteile, Öresund und Helsingör.

82

83

84

85

82. Konserthuset, ritat av Sven Markelius och invigt 1932, här sett från St. Jörgens plats. Konsertsalens akustik är en av de bästa i Europa.

83. Omedelbart norr om ligger den nya Stadsteatern, invigd 1976, då modernast i Europa. 600 sittplatser i stora och 100 i lilla salongen.

84. Axel Wallenbergs "Lekande ungdom", även kallad "Arildsfontänen". Ses även på bild 82.

85. "För öppen ridå" heter Sven Lundqvists roliga granitgrupp på platsen mellan Konserthuset och Stadsteatern.

82. The Concert House (Konserthuset), designed by Sven Markelius and built in 1932, seen here from St. Jörgens place. The Concert Hall's acoustics are one of Europe's best.

83. Directly to the north lies the new City Theater (Stadsteatern), opened in 1976, then the most modern in Europe. It seats 600 in the large and 100 in the small auditorium.

84. Axel Wallenberg's "Playing Youth", also called "Arild's Fountain". (see also photo nr 82).

85. "With the Curtain Open", Sven Lundqvist's amusing granite group, on the place between the Concert House and the City Theater.

82. Konzerthaus eingeweiht i.J. 1932, Architekt Sven Markelius, hier von St. Jörgens Platz gesehen. Die Akustik im Konzertsaal ist eine der besten in Europa.

83. Gleich nebenan liegt das neue Stadttheater, eingeweiht i.J. 1976, damals das modernste in Europa. Grosser Saal 600 Sitzplätze und kleiner Saal 100 Sitzplätze.

84. "Spielende Jugend" von Axel Wallenberg, auch "Arildsfontäne" genannt. Sieht man auch auf Bild 82.

85. Die lustige Granitgruppe zwischen Konzerthaus und Theater wird "Offene Szene" genannt, von Sven Lundqvist.

86

86. Nedre delen av Hälsovägen (E 4:an) fångad i en paus mellan rader av bilar.

86. The lower part of Hälsovägen (E-4) caught in a pause in the traffic.

86. Eine Pause im Verkehr, am unterem Teil vom Hälsoweg (E4).

87

87. Släthuggen bergvägg i sandsten och ett lusthus vid foten av Vikingsberg. Huggningen skedde privat på 1850-talet, men under tidig medeltid lär här ha brutits sten för bl a Mariakyrkan och senare Kronborgs slott.

87. A smoothcut rock face of sandstone and a summer house at the foot of Vikingsberg. The cutting was done privately in the 1850's but in early medieval times it is likely that stone was quarried here for among other things, St. Mary's church, and later Kronborg Castle.

87. Glatt geschlagene Bergwand aus Sandstein und ein Lusthaus am Fusse von Vikingsberg. Gebrochen wurde hier privat in den 1850. Jahren. Anfang des Mittelalters hat man hier wahrscheinlich Steine gebrochen für den Bau der Mariakirche und später für Kronborg Schloss.

88

89

90

91

88. I de norra stadsdelarna, vid foten av Tågaborgshöjden invigdes 1924 Margaretaplatsen, till minne av en älskad furstinna. Ovan den ur berget framspringande källan ses en medaljong skulpterad av Carl Milles.

89,90. Olika byggnasdsstilar vid Drottninggatan i de norra stadsdelarna.

91. Vid St Jörgens plats har väldiga fastigheter vuxit upp.

88. In the northern part of town, at the foot of Tågaborg Hill, "Margareta Platsen" was built in 1924, in the memory of a much loved princess. Above the spring, running from the hill, we see a medalion made by Carl Milles.

89,90. Different building styles on Drottninggatan in the northern part of town.

91. On St. Jörgens place huge buildings have grown up.

88. Am Fusse von Tågaborgshöhen, im nördlichen Stadtteil, wurde i.J. 1924 der Margaretaplatz eingeweiht, zum Andenken einer beliebten Fürstin. Aus der hervorspringenden Quelle am Berge sieht man ein Medaillon vom Bildhauer C. Milles.

89,90. Verschiedene Architektur in der Drottninggatan, in den nördlichen Stadtteilen.

91. Am St. Jörgens Platz sind grosse Gebäude aufgewachsen.

92

92. Inte bara husfasaderna är fotomässiga, även gårdssidorna ger spännande kameravinklar.

92. Not only the fronts of houses are photogenic, even the backyard views give exciting camera results.

92. Nicht nur die Hausfassaden sind fotogen, auch Hinterhöfe können ihre Reize haben.

93. Pålsgatan var fram till mitten av 1800-talet — den kallades då Pålsjövägen — Helsingborgs utfart åt norr. "Dragarehusen" kallades husraden här eftersom de mestadels beboddes av dragare och deras familjer.

93. Until the middle of 1800's Pålsgatan was Helsingborg's main road out of town to the north.

93. Pålsgatan war bis Mitte 1800, damals Pålsjöväg genannt, die Ausfahrt zum Norden. "Dragarehusen" genannt nach den "Dragare" (Transportarbeiter), die hier mit ihren Familien gewohnt haben.

93

94

95

94. Sedan Sundstorget invigdes 1901 har det varit ett omtyckt salutorg, speciellt på lördagsförmiddagarna då man handlar och träffar folk.

95. Nordvästra Skåne dominerar landets trädgårdsnäring och det speglar sig naturligtvis i torghandeln.

94. Since the Sound Square (Sundstorget) was built in 1901, it has been a popular market place, especially on Saturday mornings when one can shop and meet people.

95. Northwest Skåne is the country's most fertile area and that is naturally reflected in the produce available here.

94. Sundstorget eingeweiht i.J, 1901 ein beliebter Marktplatz und Treffpunkt zum Einkaufen, besonders am Samstagvormittag.

95. Skåne ist die Grünkammer des Landes, überall auf den Marktplätzen können wir es sehen.

96

97

98

96. Rådhustorget är det senaste i Helsingborg. Varje lördagsförmiddag på sommaren pågår här loppmarknad.
97. Torget sett från ovan. Pyramidtaken sitter på Trafikverkets vänthall för bussresenärer.
98. Trottoarservering och torghandel på Rådhustorget.

96. The Town Hall Square (Rådhustorget) is the most recent of the squares in Helsingborg. Every Saturday morning in the summer there's a flea market going on.
97. The square seen from above. The pyramid roofs are on the traffic department's waiting place for bus travelers.
98. The sidewalk restaurant and market trade on the Town Hall Square.

96. Während der Sommerzeit ist jeden Samstagvormittag Flohmarkt auf dem Rathausmarkt.
97. Der Markt von oben gesehen. Ein hübsches Pyramidendach deckt das Wartehäuschen für Reisende.
98. Cafe' und Marktplatz beim Rathausmarkt.

99. Kolmätaregränd är en av de trivsamma gamla gränderna där flera äldre hus bevarats.

99. Kolmätaregränd is one of the most pleasant alleys, where many old houses have been saved.

99. Kolmätargränd ist eine alte Gasse wo mehrere alte Häuser bewahrt worden sind.

100

101

102

100. Kullaplatsen eller Konsul Olssons plats med Lars Trollbergs "Hjulet" (t h), ett minnesmärke över konsul Petter Olsson, en gigantisk industriman som "satte hjul" på Helsingborg; byggde järnvägar, fabriker m.m.
101. Ända in på 1870-talet var den här trafiktäta Järnvägsgatan strandområde!
102. Kullagatan, ett trivsamt affärsstråk.

100. Kullaplatsen or Consul Olssons place with Lars Trollberg's "The Wheel" (Hjulet) to the right, a memorial to Consul Petter Olsson, a major industrialist who "brought the wheel" to Helsingborg; he built railroads, factories etc...
101. Järnvägsgatan, now a busy street, was a beach area up until the end of the 1870's.
102. Kullagatan, a pleasant shopping thoroughfare.

100. Kullaplatsen oder Consul Olssons Platz mit "Hjulet" (Rad) von Lars Trollberg, ein Denkmal für Consul Petter Olsson, der Helsingborgs Industrie wieder ins rollen brachte.
101. Bis 1870 war die verkehrsdichte Järnvägsgatan, Strand.
102. Kullagatan eine beliebte Geschäftsstrasse.

108

109

110

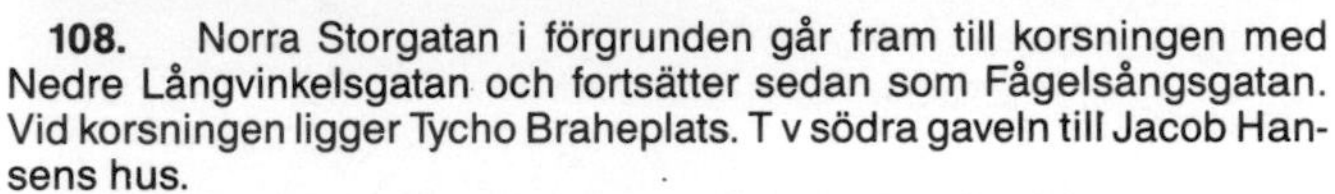

108. Norra Storgatan i förgrunden går fram till korsningen med Nedre Långvinkelsgatan och fortsätter sedan som Fågelsångsgatan. Vid korsningen ligger Tycho Braheplats. T v södra gaveln till Jacob Hansens hus.

109. Tycho Brahe-brunnen, invigd 1927, ritad av G W Widmark, himmelsgloben utförd av Astrid M Aagesen. Tycho Brahe bodde en tid i Helsingborg, en dotter ligger begravd i Mariakyrkan.

110. Utsikt från backen vid den Henckelska gården med den inre trädgården i förgrunden. Byggnaden med takkupor är Gamlegård, uppförd 1709 (troligen), flera gånger bostad åt kungligheter i samband med vistelser i staden.

108. Northern Storgatan, in the foreground, runs to the crossing with lower Långvinkelsgatan and proceeds until Fågelsångsgatan. At the crossing lies Tycho Brahe Place, to the right the southern gable of Jacob Hansens house.

109. The Tycho Brahe well, built in 1927, designed by G.W. Widmark, the globe made by Astrid M. Aagesen. Tycho Brahe lived for a time in Helsingborg, one of his daughters lies buried at St. Mary's Church. (Mariakyrkan).

110. View from the hillside near the Henckel's yard with the inner garden in the foreground. The building with the gabled windows is Gamlegård, built in 1709 (probably) often the dwelling of royalty, visiting the town.

108. Im Vordergrund Norra Storgatan, führt bis zur Kreuzung Nedre Långvinkelsgatan und dann weiter als Fågelsångsgatan. Bei der Kreuzung liegt der Tycho Brahe Platz. Links, südlicher Giebel von Jacob Hansens Hus.

109. Tycho Brahe Brunnen, eingeweiht i.J. 1927, Architekt G.W. Widmark. Himmelsgloben, gezeichnet von Astrid M. Aagesen. Tycho Brahe wohnte eine Zeit in Helsingborg, eine Tochter von Ihm liegt in der Mariakirche begraben.

110. Aussicht von der Höhe beim Henckelska gården, den Garten sehen wir im Vordergrund. Das Gebäude mit Dachgewölbe ist Gamlegård, wahrscheinlich i.J. 1709 gebaut, öfter Wohnsitz bei königlichen Besuchen in der Stadt.

111. En vacker gammal port till Nedre Långvinkelsgatan 8 står som ett minne av konsul Carl-Henric Rooth (CHR) som idkade stor handel i gården, då omfattande nästan hela kvarteret. Huset uppfört 1825.

111. A pretty, old doorway to lower Långvinkelsgatan 8, stands as a memorial to Consul Carl Henric Rooth (CHR) who conducted a great business in the yard, then extending over nearly the whole block. The house was constructed in 1825.

111. Ein hübscher, alter Eingang in der Nedre Långvinkelsgatan 8, erinnert an Consul Carl-Henric Rooth (CHR), der hier im Hof seine Geschäfte führte, gebaut i.J. 1825.

112

113

114

112. Mariakyrkan, förr kallad Vårfrukyrkan, uppfördes omkring 1450 på resterna av en sandstenskyrka från 1100-talet, vars grundrester ses i kyrkans sydöstra hörn.

113. Bland inventarierna finns den vackra predikstolen från 1615, ett praktfullt renässansarbete.

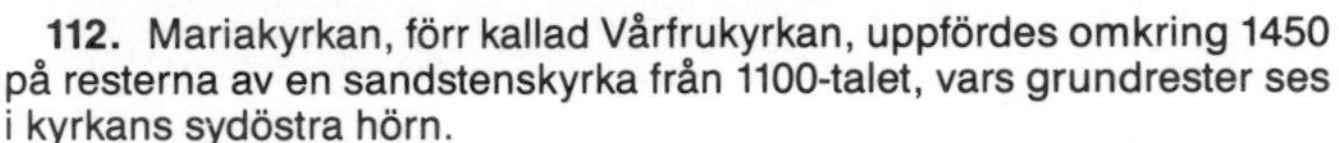

114. Från orgelläktaren, där Dietrich Buxtehude var organist 1657-60, blickar vi ut över mittskeppet. I bakgrunden kyrkans dyrgrip, ett förnämt altarskåp från 1450, nyrestaurerat 1984.

112. St.Mary's Church (Mariakyrkan) formerly called Church of Our Lady (Vårfrukyrkan) constructed around 1450 on the remains of a sandstone church from the 1100's, the foundation of which can be seen in the church's southeast corner.

113. Among the furnishings there is this beautiful pulpit from 1615, a magnificent renaissance work.

114. From the organ loft, where Dietrich Buxtehude was organist 1657-60, we look out over the nave. In the background, the church's treasure, a distinguished triptych from 1450, newly restored in 1984.

112. Mariakirche (1450) ehemals Vårfrukyrkan (Frühlingsfrauenkirche) genannt, gebaut auf Resten einer Sandsteinkirche aus dem 12. Jhdt. In der rechten Ecke (innen und aussen) sieht man noch Reste vom Fundament.

113. Eine prachtvolle Renaissance-Arbeit ist der Predigtstuhl aus dem Jahre 1615.

114. Vom Orgelbalkon, hier war Dietrich Buxtehude Organist von 1657-60, sehen wir über das Mittelschiff. Im Hintergrund ein besonders hübscher Altar aus dem Jahre 1450, restauriert i.J. 1984.

115

116

117

118

115. Framför entrén till Mariakyrkan står Gustaf Nordahls bronsskulptur "Livets källa" från 1955.
116. Vid norra sidan av kyrkan har 1953 uppförts en sakristia som ersättning för den som revs under prof. C G Brunius' restaurering 1846 — 49.
117. Bakom den gröna porten vid S Kyrkogatan 16 fanns förr stadens likvagn.
118. Parti av fastigheten 20 — 22 vid samma gata.

115. In front of the entrance to St. Mary's Church, stands Gustaf Nordahl's bronze sculpture "Life Spring" from 1955.
116. At the north side of the church in 1953 a sacristy was constructed to replace the one that was torn during the restoration by Prof.C G Brunius 1846 — 49.
117. Behind the green doorway near 16 Kyrkogatan, is the town's former hearse.
118. Part of the property 20 — 22 of the same street.

115. Vor dem Haupteingang der Mariakirche steht eine Skulptur aus Bronze, "Livets källa" (Quelle des Lebens) genannt, von Gustaf Nordahl 1955.
116. Bei der Sanierung in der Kirche 1846-49 wurde die alte Sakristei abgerissen, erst i.J. 1953 wurde eine neue aufgestellt.
117. Hinter der grünen Pforte in der S. Kyrkogatan stand früher der Leichenwagen der Stadt.
118. Ein Teil des Gebäudes Nr. 20 — 22 in der gleichen Strasse.

119

120

121

119. Väster om kyrkan går Mariagatan (f.d.Skolgatan) i förgrunden och möter Norra Kyrkogatan.
120. Här gick en gång vägen från slottet till hamnbryggan. I förgrunden, nuvarande Billeplatsen, låg på 1600-talet Anders Billes gård. I backen ses Hallbergs trappor, promenadväg upp till Slottshagen. Trapporna tillkomna 1876 då Johan Hallberg lät schakta väg och riva en del byggnader.
121. Terrasshuset från 1901 uppfördes som ett bankpalats. Mycket rikt på utsmyckningar.

119. To the left of the church runs Mariagatan in the foreground, which meets N Kyrkogatan.
120. Here, at one time, ran the road from the castle to the harbor landing. In the foreground, now called Billeplatsen, was in the 17th century Anders Billes Yard. On the slope one can see the Hallbergs steps, walking path up to Slottshagen. The steps are from 1876 when Johan Hallberg reconstructed the area.
121. The Terrace House from 1901, built originally as a bank office. It is rich with embellishments.

119. Westlich der Kirche, Mariagatan (ehemals Skolgatan) trifft sich mit Norra Kyrkogatan, im Vordergrund.
120. Hier ging einmal der Weg vom Schloss zur Hafenbrücke. Im Vordergrund, jetziger Billeplatz, lag i.J. 1600 Anders Billes Hof. Hallbergs Treppen im Hintergrund, Promenadenweg nach Slottshagen. Johan Hallberg liess i.J. 1876 die Treppen bauen.
121. Das Terrassenhaus von 1901 wurde als Bankpalast gebaut. Sehr reicher Dekor.

122. Ett stycke söder om Hallbergs trappor går en annan gammal promenadväg genom backen. Det är Himmelriksgränden, genom åren flitigt nyttjad av särskilt skolungdom från läroverket, bild 125.

122. A bit south of Hallbergs steps runs another old walk on the hill. This is Himmelriksgränden, over the years used especially by school children from the secondary school, picture 125.

122. Südlich von Hallbergs Treppen geht noch ein alter Promenadenweg, Himmelriksgränden, fleissig benutzt von Gymnasiasten der Nicolaischule (Bild 125).

123

124

125

126

123. I norra delen av det omfattande Slottshagenområdet ligger Slottshagskyrkan, uppförd 1897 av Helsingborgs Baptistförening.
124. I Slottshagen står en av Christian Erikssons mest kända bronsskulpturer, "Jakt".
125. Högre Allmänna Läroverket för gossar, nu heter det Nicolaiskolan, stod färdigt 1898, ritat av Alfred Hellerström. Här sedd från Kärnan i kvällssol.
126. Utsikt från Kärnan mot söder.

123. In the northern part of the extensive Slottshagen area, lies Slotthagen Church, built in 1897 by Helsingborg's Baptist Church.
124. In Slottshagen stands one of Christian Eriksson's most well known bronze sculptures, "Hunting" (Jakt).
125. Higher public secondary school for boys, now called Nicolai school, opened in 1898, designed by Alfred Hellerström. Here seen from the Keep (Kärnan) in evening light.
126. View from the Keep to the south.

123. Im nördlichen Teil der Slottshagen-Umgebung liegt die Kirche der Baptistengemeinde, errichtet i.J. 1897.
124. Die Skulptur "Jagd" (Jakt) von Christian Eriksson steht im Slottshagen.
125. Das Gymnasium für Knaben wird nun Nicolaischule genannt, gebaut i.J.1898 von Architekt Alfred Hellerström. Hier gesehen in der Abendsonne, von Kärnan.
126. Aussicht von Kärnan in Richtung Süden.

127. Sommarprogrammet "Kul-i-juli" lockar varje tisdag väldiga människomassor, som i Kärnans hägn samlas i den s k "Grytan", där Bertil Nilsson, Sonja Stjernqvist och Einar Nilsson med gäster underhåller.

127. The summer program "Kul-i-juli" (Fun in July) lures large masses of people every Tuesday, who in the protection of the Keep gather in the so called "pot" (Grytan).

127. Das Sommerprogramm "Kul-i-juli" lockt jeden Dienstag viele Zuschauer, die sich im sogenannten "Grytan" (Topf) von beliebten Solisten unterhalten lassen.

128. Ett stycke sydost om Slottshagen ligger det nya lasarettet, som stod färdigt 1975. I bakgrunden villastaden Olympia och idrottsplatsen.

128. A bit southeast of Slottshagen lies the new hospital, finished in 1975. In the background the residential suburb Olympia and the athletic grounds.

128. Südöstlich von Slottshagen liegt das neue Krankenhaus aus dem Jahre 1975. Im Hintergrund das Villaviertel Olympia und Stadion.

129

130

131

129. I sydväst gränsar Slottshagen till Möllebacken, stadsmuséets område, med populärt våffelbruk i en av de gamla stugorna som flyttats hit från Arild. Stabbamöllan som skymtar i mitten har gett namn åt platsen. Den uppfördes på 1700-talet på Söder och sattes upp här 1909.

130. Från Möllebacken går trappor ner till muséets huvudbyggnad vid S.Storgatan.

131. Miljön kring muséet är ålderdomlig med pittoreska gårdar.

129. The southwest of Slottshagen is bordered by Möllebacken, the city museum's area, with a popular waffle shop in one of the old cottages which was moved here from Arild. Stabbamöllan (windmill) seen in the middle, gives the name to the place. It was built in the 1700's in the south of Helsingborg and moved here in 1909.

130. Steps go down from Möllebacken to the museum's main building on S.Storgatan.

131. The area around the museum is old-fashioned with picturesque yards.

129. Museumsgebiet Möllebacken mit seiner populären Waffelbäckerei in der alten Kate, die hier aus Arild wieder aufgestellt wurde. Stabbamöllan, im 18 Jhdt. stand die Mühle in Söder, 1909 wurde sie hier wieder aufgebaut.

130. Von Möllebacken führen die Treppen herab zum Museum in der S.Storgatan.

131. Hier in den malerischen Hinterhöfen ist ein altertümliches Milieu.

137

137. Södra Storgatan 19, ett prov på vacker byggnadskonst från 1906.

137. South Storgatan 19, a sample of beautiful architecture from 1906.

137. S.Storgatan 19, hübscher Baustil aus dem Jahre 1906.

138

138. Sedan slutet av 1800-talet har ungdomlig skönhet burit upp denna balkong vid Trädgårdsgatan 3, allt medan vi vanliga människor blir skröpligare med åren...

138. Since the end of the 1800's youthful beauty has supported this balcony on Trädgårdsgatan 3, all while we comon people get more frail with the years...

138. Seit Ende des 19 Jhdt. hat jugendliche Schönheit diesen Balkon in der Trädgårdsgatan 3 getragen, während wir gewöhnlichen Menschen gebrechlicher mit Jahren werden...

139. En gårdsbild från S.Storgatan 35 visar upp denna spännande miljö. Ovanför de vindlande trapporna har många av våra kända fotografer haft sin ateljé, såsom Carl Hagman, Emil Bruno, Axel Askling, Ellen Skånberg samt W H Cederbergs Eftr.

139. A photo of the yard at 35 S.Storgatan shows these intriguing surroundings. Over the steps, many of our well known photographers have had their studios.

139. Der Hof in der S.Storgatan 35 zeigt ein reizvolles Milieu, über den geschwungenen Treppen haben viele bekannte Fotografen ihr Atelier gehabt.

140

141

140. Parapeten, d.v.s. den norra vågbrytaren har alltid varit en populär plats för fritidsfiskare. När horngäddan går till på våren är det inte långt mellan nappen. Andre man från höger har just landat en sådan.

141. Från när och fjärran kommer fiskeentusiaster för att följa med någon av de båtar som dagligen går ut några timmar med sportfiskare. Torskfångster är vanligast.

140. The Parapet, i.e. the northern breakwater, has always been a popular place for leisure fishermen. When the horn-pike run in the spring, it's not long between bites. The second man to the right has just landed one.

141. From near and far come fishing enthusiasts to go on some of the boats that go out daily for several hours with sport fishers. Most common is to catch codfish.

140. Parapeten war immer ein beliebter Platz für Freizeitangler. Wenn die Hornhechte im Frühjahr kommen dauert es nicht lange bis es an der Angel zappelt.

141. Tägliche Anglertouren auf dem Öresund lockt Entusiasten von nah und fern. Meistens wird Dorsch gefangen.

142

143

144

145

142. Ett prov på flera byggnadsstilar — nästan "från koja till slott".

143. Från Järnvägsgatan upp i Möllegränden ses många olika sekelskifteshus.

144,145. Det gamla affärsstråket Bruksgatan håller på att fräschas upp, husen målas i glada färger.

142. A sample of several architecture styles — almost "from cabin to castle".

143. From Järnvägsgatan up to Möllegränden many different houses from the turn of the century are seen.

144,145. The old shopping thoroughfare Bruksgatan refreshed by the buildings painted in bright colors.

142. Eine Probe verschiedener Baustile — von einer Hütte — bis zum Schloss.

143. Von Järnvägsgatan in Richtung Möllegränden sieht man verschiedene Häuser aus der Jahrhundertwende.

144,145. Die alte Geschäftsgasse Bruksgatan wird zur Zeit restauriert, die Häuser werden bunt gestrichen.

146

148

149

146. I gränsen mellan centrala staden och Söder ligger Stadsparken, eller Krookska Planteringen, tillkommen genom en donation av syskonen Krook (1870). Här ligger i den södra delen Stadsbiblioteket (fr 1965), internationellt uppmärksammat för sin planlösning.

147. Ett kastanjeträd med röda blommor står i parkens nordöstra hörn.

148. Donationskyrkogården på höjden öster om Stadsparken har bl a detta praktfulla mausoleum.

149. Från den intilliggande Nya kyrkogårdens sydvästra hörn ser vi mot Siöcronaplatsen.

146. On the border between the town center and the south lies the Town Park (Stadsparken) or the Krooks Park, received through a donation of the Krook siblings in 1870. Here in the south lies the town library (Stadsbiblioteket) from 1965, internationally noted for its design.

147. A chestnut tree with red flowers stands in the park's northeast corner.

148. The Donation Church yard on the hill east of the Town Park has, among other things, this magnificent mausoleum.

149. From the adjacent New church yard's south west corner, we look out on the Siöcrona place.

146. Zwischen Stadtmitte und Söder liegt Stadsparken, oder Krookska planteringen, Schenkung der Geschwister Krook i.J. 1870. Hier befindet sich die Bibliothek von 1965, durch die geniale Planlösung international bekannt.

147. Eine Rotkastanie steht im Nordosten des Parks.

148. Dieses prachtvolle Mausoleum steht auf dem Donations-Friedhof.

149. Von der südwestlichen Ecke des neuen Friedhofes sehen wir zum Sjöcronaplatz.

150. Konsul Nils Perssons villa skänktes staden 1923 av Ivar P:son Henning. Villan uppfördes 1847 för generalbefälhavaren Gustaf von Essen. Den danske arkitekten G F Hetsch stod för ritningarna.

Kommunala musikskolan disponerar idag villan, här omgiven av prunkande rhododendron.

150. Consul Nils Persson's house given to the city in 1923 by Ivar Persson-Henning. The house was constructed in 1847 for Commander Gustaf von Essen. The Danish architect G F Hetsch made the plans for it.

Today, the community music school uses the house, here surrounded by dazzling rhododendrons.

150. In der hübschen Rhododendronanlage liegt die komunale Musikschule. Der dänische Architekt G.F.Hetsch hat den Entwurf gemacht, errichtet i.J. 1847 für General Gustaf von Essen.

151

151. Söder om Donationskyrkogården ligger Petrikyrkan som metodistförsamlingen uppförde 1896 efter ritningar av Mauritz Frohm.

151. South of the Donation churchyard lies Petri Church which the metodist congregation built in 1896, from the designs of Mauritz Frohm.

151. Südlich vom Donations-Friedhof liegt die Petrikirche, errichtet von der Methodistenversammlung i.J.1896.

152

152. Utsikt från Siöcronaplats på Eneborgshöjden mot Söder där det mesta av bebyggelsen är ny. Det är Holländaregatan som går i förgrunden och via trappor fortsätter ner mot sjön till.

152. View to the south from Siöcrona place on Eneborgs hill, where most of the buildings are new. It is Holländaregatan which runs in the foreground and from which steps continue down towards the sea.

152. Aussicht von Sjöcronaplatz in Richtung Süden wo die meisten Häuser Neubauten sind. Im Vordergrund, Holländaregatan, die via Treppen zum Wasser führt.

153

154

155

156

153. Södergatan sedd från norr. Detta var förr landsvägen söderut mot Landskrona.

154. Det mesta av Söder har totalsanerats. Holländaregatan ses här i ny skepnad.

155. Mäster Palms plats kallas nu denna del av Gasverksgatan, där mäster själv står staty, utförd av Ture Johansson.

156. Söder är ännu inte återuppbyggt efter de omfattande rivningarna av äldre bebyggelse. Kvarter Sachsen bebyggs här 1984.

153. Södergatan seen from the north. This was the former main road south towards Landskrona.

154. Most of the south part of town has been totally reconstructed. Holländaregatan seen here with new buildings.

155. This part of Gasverksgatan is now called Master Palms Place. Here stands a statue of the master himself, made by Ture Johansson.

156. The south is still not completely rebuilt after the extensive demolition of the older buildings. The Sachsen quarter was built here in 1984.

153. Södergatan, vom Norden gesehen. Ehemalige Landstrasse nach Landskrona.

154. Das meiste vom Stadtteil Söder ist saniert. Holländaregatan, hier in neuer Ausführung.

155. Dieser Teil von der Gasverksgatan nennt sich, Mäster Palms Platz, hier steht der Meister als Denkmal, errichtet von Ture Johansson.

156. Nach der Sanierung ist Söder noch nicht ganz aufgebaut. Quartier Sachsen wird i.J.1984 gebaut.

157. Dimmig vårvintermorgon på Gustav Adolfs torg eller Nya torg som den gamla benämningen är. Byggnaden t h i bakgrunden är Folkets hus, invigt 1906.

157. Hazy spring-winter morning on Gustav Adolf's Square, formerly New Square. The building to the right in the background is the People's House (Folkets hus) built in 1906.

157. Nebliger Frühjahrsmorgen am Gustav Adolfs Torg, Nya torg alter Name. Im Hintergrund Folkets Hus, eingeweiht i.J.1906.

158

158. Från Gustav Adolfskyrkans torn ser vi åt sydost. Nyssnämnda torg och Folkets hus i förgrunden. Närlunda bostadsområde i bakgrundens mitt samt Elineberg till höger.

158. From Gustav Adolf Church's tower we look to the southeast, the forementioned square and the People's House in the foreground. Närlunda residential area in the middle background and Elineberg to the right.

158. Vom Kirchturm Gustav Adolf sehen wir in Richtung Südosten. Im Vordergrund vorher genannter Marktplatz und Folkets Hus. Närlunda Wohngebiet im Hintergrund, sowie Elineberg rechts im Bild.

159

159. Vid torgets östra ände, mot Södergatan, står fontänen "Fiskafänget" av Sven Lundqvist.

159. Against the square's east end, along Södergatan, stands the fountain "Fish catcher"(Fiskafänget) by Sven Lundqvist.

159. Der Springbrunnen "Fiskafänget"(Fischfang) von Sven Lundqvist steht am Markt in der Södergatan.

166

167

168

166. Svenska flaggans dag/nationaldagen, firas framför herrgårdsbyggnaden till Fredriksdal. Det stora området Fredriksdals Friluftsmuséum tillkom genom en donation 1918 av Gisela Trapp f Henckel, enligt hennes avlidne makes, konsul Oscar Trapp, önskan.
167. Friluftsteatern har sedan länge arrenderats av Nils Poppe, vars lustspel blivit en tradition även i TV vid trettondagshelgen.
168. Det trevliga gamla dasset är fortfarande i tjänst.

166. Swedish Flag day/National day, celebrated in front of the manor house at Fredriksdal. The large area, Fredriksdal's open air museum was gotten through a donation in 1918 of Gisela Trapp, in accordance with the wishes of her deceased husband, Consul Oscar Trapp.
167. The open air theater has long been leased to Nils Poppe, whose comedy has become a tradition even on TV over the Twelfth Night holiday.
168. The pleasent old privy is still in service.

166. Tag der Schwedischen Flagge/Nationaltag, wird vor dem Herrenhaus in Fredriksdal gefeiert. Das grosse Freilichtmuseum wurde der Stadt i.J.1918 von Gisela Trapp,geb.Henckel, nach dem Tode ihres Mannes. Konsul Oscar Trapp gestiftet.
167. Das Freilichttheater wird seit langen von Nils Poppe gepachtet, dessen Lustspiele eine Tradition geworden sind, auch im Fernsehen (6.Januar).
168. Das alte, gemütliche "Klo" ist immer noch im Dienst.

169

170

171

169,170. Den Botaniska trädgården besöks årligen av mycket folk. Anläggningen som är unik för Europa presenterar ca 1300 av Skånes vildväxande arter, allt från de enklaste gräs till urtidsträd, "levande fossiler" etc. Engelsk park, fransk trädgård, kryddgård, fruktträdgård och rosenträdgård hör också till anläggningen.

171. "Kolla fröken, så gott det luktar!" utropar barnen som hittat ett stånd doftvioler.

169,170. The botanical garden is visited annually by many people. The design, which is unique for Europe, presents around 1300 of Skånes wild growing plant species, all from the simplest grass to prehistoric trees, "living fossils" etc. An English Park, a French garden, an herb garden, a fruit tree garden and a rose bush garden also are included.

171. "Look miss, this smells so good" shout the children who found a stand of fragrant violets.

169,170. Der Botanische Garten wird jährlich von vielen Menschen besucht. Die Anlage, die einzigartig in Europa ist, präsentiert c:a 1300 wildwachsende Gewächse von Skåne, vom einfachstem Gras bis zum Urbaum, Fossilien u.s.w. Zur Anlage gehört weiter: Englischer Park, Französischer Garten, Kräutergarten, Obstbäume und Rosengärten.

171. "Guck mal Fräulein, (Lehrerin) wie gut es riecht!" rufen die Kinder, die einen Busch Duftveilchen gefunden haben.

172

173

174

172. Flera gamla byggnader har flyttats till det stora Fredriksdalsområdet där man får en god inblick i våra förfäders vardagsliv.

173. Hur det går till att mjölka en ko är för barn en stor upplevelse!

174. Full fart på spinnrocken! I ljuset från ett litet fönster levandegörs en gammal kvinnosyssla.

172. Several old buildings have been moved to the large Fredriksdals area, where one gets a good glimpse into our forefather's everyday life.

173. Its a good experience for children to see how to milk a cow!

174. Full speed on the spinningwheel! In the light of a small window, an old woman-work is made life like.

172. Mehrere alte Gebäude sind im Fredriksdals-Museum wieder aufgebaut worden, wo wir einen guten Einblick bekommen wie unsere Vorfahren gelebt haben.

173. Wie man eine Kuh melkt ist für Kinder ein grosses Erlebnis!

174. Volle Fahrt im Spinnrad! Im Fensterlicht werden alte Traditionen lebendig.

175. Folksamling på herrgårdens gårdssida i vackert kvällsljus.

175. A crowd in the manor's back yard in lovely evening light.

175. Versammlung beim Herrenhaus in der Abenddämmerung.

176

177

178

179

176,178,179. Bland många aktiviteter i det underbara Fredriksdalsområdet är "Sekelskiftets dag" då man gärna klär sig i sekelskifteskläder. Husarerna tar på sina gamla uniformer från kavalleriets tid. Pojken påminner om Emil i Lönneberga.

177. Stadskvarter har byggts upp av gamla byggnader som från centrala staden flyttats hit i samband med saneringar. Hantverkareverkstäder, apotek, läkare- och tandläkaremottagningar m.m. har återuppstått, liksom denna gamla butik.

176,178,179. Among many activities in the wonderful Fredriksdal area is "The turn of the century day" when one can dress in "turn of the century"costume. The hussars take on their old uniforms from the cavalry time.

177. Town quarters have been built up of old buildings, moved here from the town center to preserve them. Craftsman's work places, a pharmacist's, doctor's and dentist's offices etc., have risen again, as well as this old shop.

176,178,179. Der Jahrhundertwende-Tag, ist einer von vielen Veranstaltungen in Fredriksdal, da man sich gerne in altertümliche Kleidung kleidet. Die Husaren mit ihren alten Uniformen erinnern an die Kavalleriezeit. Der Junge erinnert an Emil in Lönneberga.

177. Nach der Sanierung in der City hat man diese alten Gebäude hier wieder aufgestellt z.B.Werkstätten, Apotheke, Arzt- und Zahnpraxis und ein Krämerladen.

180. ”Så här gör dom” instruerar pojken storasyster efter att ha studerat föräldrarnas gammaldans, kanske till melodin ”Gula paviljongen”, syftande på lusthuset, ett av flera som stått längs landborgen vid Kärnan.

180. ”They do like this” instructs the boy to his older sister after studying his parents' old fashioned dance, maybe to the melody ”The yellow pavillion” hinting at the pavillion, one of several that stood along the coastal hill near the Keep (Kärnan).

180. ”So wird's gemacht”, nachdem der Junge die Eltern studiert hat bekommt die grosse Schwester Anweisungen im Volkstanz, vielleicht zur Melodie ”Gelber Pavillon”, mit Beziehung auf das Lusthäuschen, solche standen einst bei Landborgen/Kärnan.

181. Helsingborg har expanderat kraftigt åt öster. På Dalhemsområdet har bilvägarna sänkts ner och för fotgängare och cyklister finns många broar mellan bostadsområdena.

181. Helsingborg has vigorously expanded to the east. In Dalhems area there are many bridges over the highways for pedestrians and bicyclists between resendential areas.

181. Helsingborg hat sich enorm in östliche Richtung vergrössert. In der Dalhem-Umgebung sind die Strassen gesenkt worden, und für die Fussgänger und Radfahrer sind Brücken gebaut.

182

183

184

185

182. Barnvänliga bostadsområden har under senare år vuxit upp, såsom Rosengården, där biltrafiken inte når in bland husen.

183. Populärt "Lekis" i Stattena.

184. I det senaste bostadsområdet, Pålsjö Östra, har anlagts en väldig plaskdamm till ungarnas förtjusning.

185. Har man en liten sotsvart kanin blir man utan tvekan den populäraste flickan bland lekkamraterna!

182. Residential areas suited for children have grown up in recent years, such as Rosengården, where auto traffic is not allowed among the houses.

183. Popular playground in Stattena.

184. In the latest residential area, Pålsjö Östra, a huge wading pool has been built to youngsters delight.

185. If one has a little black rabbit, one is without doubt the most popular girl among the playmates!

182. Kinderfreundliche Wohngebiete sind in den letzten Jahren errichtet worden, z.B.Rosengården, der Verkehr wird aussen herum geleitet.

183. Beliebter Spielplatz in Stattena.

184. Zur Freude der Kinder, ein Planscher im Wohngebiet Pålsjö Östra.

185. Hat man ein kleines Kaninchen ist man ohne Zweifel ein beliebter Spielkamerad.

186

187

188

189

190

186 — 190. Villastaden Olympia tillkom i huvudsak åren efter sekelskiftet. Den bjuder en mycket rikhaltig provkarta på arkitekttur i jugendstil.

186 — 190. The residential suburb Olympia, completed in the years following the turn of the century. It offers a rich variety of art nouveau style architecture.

186 — 190. Villenviertel Olympia wurde kurz nach der Jahrhundertwende gebaut. Hier finden wir eine reichhaltige Architektur im Jugendstil.

191. Idrottsplatsen Olympia, invigd 1898, är legendarisk i fotbollssammanhang genom gamla "mjölkkossan", f d mästarelaget Helsingborgs IF (HIF). Nu kämpar laget sedan flera år förtvivlat i Div II för att åter komma tillbaka i den högsta serien.

Det väldiga Idrottens hus och Ishallen ses t v ovanför Olympia medan t h ligger den nya Olympiahallen för racketsporter. Olympiaskolan i nedre högra hörnet.

191. The Athletic grounds Olympia, constructed in 1898, is legendary in relation to football (soccer) through the old "milkcow", the former master team, Helsingborg's sports association (HIF). Now the team struggles to once again come back inte the highest series.

The enormous Idrottens hus (Sporthall) and the ice rink are seen to the left, above Olympia, while to the right lies the new Olympia hall for racket sports. The Olympia school is in the lower right hand corner.

191. Sportplatz Olympia eingeweiht i.J.1898 ist bekannt durch die alte Meistermannschaft HIF, ehemals "Mjölkkossan"(Milchkuh). Seit einigen Jahren kämpft man verzweifelt um den Aufstieg in die 1. Liga. Sport und Eishalle, links oben. Die neue Olympiahalle für Tennis und Badminton, rechts. Die Olympiaschule in der unteren rechten Ecke.

197. Det mesta på Råå kretsar kring fisket, men så har samhället en gång räknats som landets största fiskeläge (1870-talet).

197. Most of Råå revolves around fishing, and at one time it was considered the country's largest fishing village (1870's).

197. Hier dreht sich alles um den Fischfang. Råå gehörte zu den grössten Fischerhäfen des Landes (1870-80).

198

199

200

201

198. En äkta Råå-bo, fiskaren Olof Nilsson, har varit med sedan 1903.
199. Höstdimma och stiltje i fiskeläget.
200. Smågrabbarna tar sin fisk från land medan farbröderna åker ut på kvällstur.
201. Tidsödande rensning av nät sedan de råkat hamna i en snäckbank.

198. A genuine Råå inhabitant, fisherman Olof Nilsson, has been here since 1903.
199. Autumn mist and calmness in the fishing village.
200. The small kids take their fish from the quay, while the old timers go out on evening trips.
201. After the nets get caught on a mollusk bed, it's neccesary to spend time cleaning them.

198. Ein echter Råå Einwohner, Fischer Olof Nilsson geb.1903.
199. Herbstnebel und Windstille im Fischerdorf.
200. Die Jung's angeln vom Land, während die Alten zu einer Abendtour hinausfahren.
201. Zeitraubendes Saubermachen, nachdem die Netze in eine Muschelbank geraten sind.

202

203

204

202. Längre in i hamnen, vid den gamla bron över Råå-ån, ser man nästan alltid fiskande råågrabbar.
203. Vid hamnen kan man varje morgon köpa nyfångad fisk, dock knappast levererad av pojkarna. Katten lär nog inte svälta!

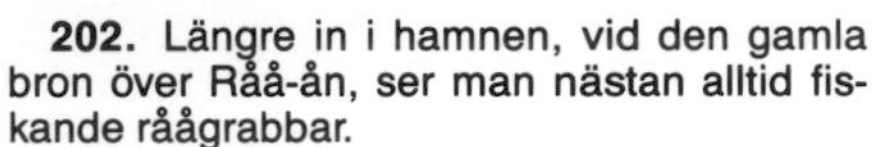

204. Huvudgatan genom Råå är Rååvägen, där många trevliga gamla hus står kvar.

202. Farther in, in the harbor, near the old bridge over Råå Creek, one almost always sees local kids fishing.
203. Every morning near the harbor, one can buy fresh caught fish (thogh not from the boys!). The cat is not likely to starve.
204. The main road through Råå is Rååvägen, where many pretty old houses still stand.

202. Am Ende des Hafens, an der alten Brücke über den Råå-ån (Bach), sehen wir fast immer angelnde Råå-Jung's.
203. Jeden Morgen kann man hier frische Fische kaufen, aber kaum von den Jung's geliefert. Die Katze leidet keinen Hunger.
204. Rååvägen ist die Hauptstrasse durch Råå, hier gibt es noch viele alte, gemütliche Häuser.

205

206

207

205,206. Ideligen skiftande naturscenerier mot norr och Helsingborg. Råå-ljung och vallar i förgrunden.
207. Vinterbild från hamnen.

205,206. The perpetually changing natural scenery to the north and Helsingborg. Råå — heather and banks in the foreground.
207. Winter photo from the harbor.

205,206. Unaufhörlich wechselnde Naturszenen in Richtung Helsingborg. Im Vordergrund Råå Vallar mit Heide.
207. Hafen im Winter.

208. Småbåtshamnen på Råå vars senaste tillbyggnad blev klar 1983 är ett för båtplatsköande välkommet tillskott. Totalt finns det nu c:a 1300 båtplatser, alla uthyrda och kölistan är lång.

208. The small-craft harbor in Råå, the most recently built part ready in 1983, was a welcomed addition. There are totally about 1300 boat places now, all rented out, and the waiting list is long.

208. Der Bootshafen in Råå musste 1983 erweitert werden. Total gibt es 1300 Liegeplätze und auf der Warteliste stehen viele Bewerber.

209

210

211

209. Den nya småbåtshamnen är ett eldorado för båtentusiaster. Ungdomarna lär sig att på ett disciplinerat sätt men ändå under fria former umgås med båtar och vatten.
210. Småbåtshamnen har all den service man behöver i en gästhamn.
211. När hösten och dimman blir för svår tas båtarna upp. En och annan entusiast väntar dock i det längsta.

209. The new small craft harbor is an El Dorado for boat enthusiasts. Young people learn in a disciplined manner but manage nevertheless to enjoy themselves with boats and the water.
210. The small craft harbor has all the services one needs in a guest harbor.
211. When autumn comes and with it heavy fog, the boats are taken up. Some enthusiasts still wait as long as possible before doing so.

209. Der neue Bootshafen ist ein Eldorado für Entusiasten. Jugendliche lernen auf gute Art und Weise den Umgang mit Boot und Wasser.
210. Der Boots- und Gästehafen hat allen Service den man sich wünscht.
211. Wenn der Herbst und Nebel kommt werden die Boote aus dem Wasser genommen. Manche aber warten bis zum Gehtnichtmehr.

212

213

214

215

Helsingborg är gynnat med långa bländvita sandstränder, både norr och söder om själva staden.

212. Örestrandsbadet

213. Råå Vallar

214-215. Vattenrutschbanan på norr är populär!

Helsingborg is favored with long dazzling white sand beaches, both north and south of the city itself.

212. The Örestrand bathing place

213. Råå Vallar. (The banks)

214-215. The waterslide in the north is popular!

Helsingborg befindet sich in der glücklichen Lage, lange und weisse Strände im Norden und Süden der Stadt aufweisen zu können.

212. Badeplatz Örestrand

213. Råå Vallar

214-215. Populäre Wasserrutschbahn im Norden!

216

217

218

216. Vid campingen på Råå finns ett fint friluftsbad med uppvärmda bassänger.
217. En mindre bassäng för barn och simskola.
218. Att hålla stränderna rena från tång och dylikt kan ju vara varmt och svettigt. Extra kämpigt när dessutom kompisarna seglar ut mot Ven...

216. Near the campground in Råå there is a fine open air bath with heated swimming pools.
217. A smaller pool for children and swimming classes.
218. To clean the beaches of seaweed and such can certainly be warm and sweaty. A special struggle when friends are sailing out towards the island of Ven...

216. Beim Campingplatz in Råå finden wir ein erwärmtes Freiluftbad.
217. Ein kleines Becken für Kinder und Schwimmschule.
218. Grosses Saubermachen am Strand, eine extra mühevolle Arbeit, während Freunde in Richtung Ven segeln.

219. En av landets populäraste campingplatser, Råå Vallar, med plats för c:a 350 tält eller husvagnar — c:a 1500 gäster. Vallarna anlades 1712 som försvar mot anfall från sjösidan. En del syns i bakgrunden.

219. One of the country's most popular camping places, Råå Vallar, with room for about 350 tents or caravans — about 1500 guests. The slopes were made in 1712 as protection against attack from the sea. Part of it is seen in the background.

219. Råå Vallar ein bekannter Campingplatz im Lande. Platz für 350 Zelte oder Wohnwagen. Die Wälle wurden zum Schutze von See her aufgeschüttet i.J.1712. Ein Stück sehen wir im Hintergrund.

220

220. Raus plantering, området norr om Råå, domineras av de många industrierna.
221. I förgrunden flaggar förpackningsindustrin Elopak medan närmast bakom ses Rexolin Chemicals komplicerade anläggning och i bakgrunden Bolidens väldiga industri.
222. Den välkända veckotidningen har en originell administrationsbyggnad.

220. Raus plantation, the area north of Råå is dominated by the many industries.
221. In the foreground packaging company Elopak, while right behind is seen Rexolin Chemical's complicated plant and in the background, Boliden's huge factory.
222. Allers, the well known weekly magazine, has an unusual administration building.

220. Raus Plantering, das Gebiet nördlich von Råå wird von der Industrie beherrscht.
221. Im Vordergrund sehen wir Elopak (Verpackungsmaterial), nur wenige Meter dahinter zeigt sich die komplizierte Anlage von Rexolin Chemicals und im Hintergrund Boliden AB.
222. Die bekannte Wochenzeitung hat ein ungewöhnliches Verwaltungsgebäude.

227

228

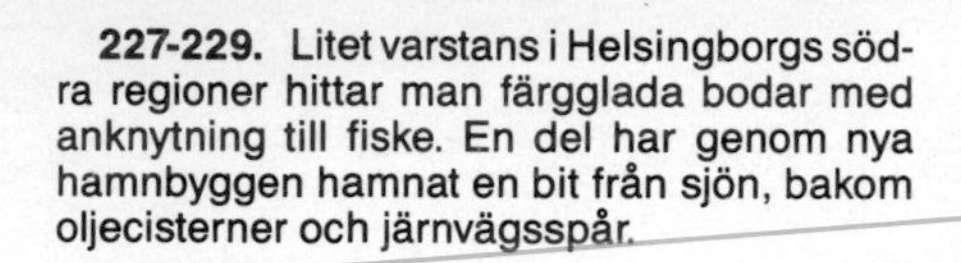

227-229. Litet varstans i Helsingborgs södra regioner hittar man färgglada bodar med anknytning till fiske. En del har genom nya hamnbyggen hamnat en bit från sjön, bakom oljecisterner och järnvägsspår.

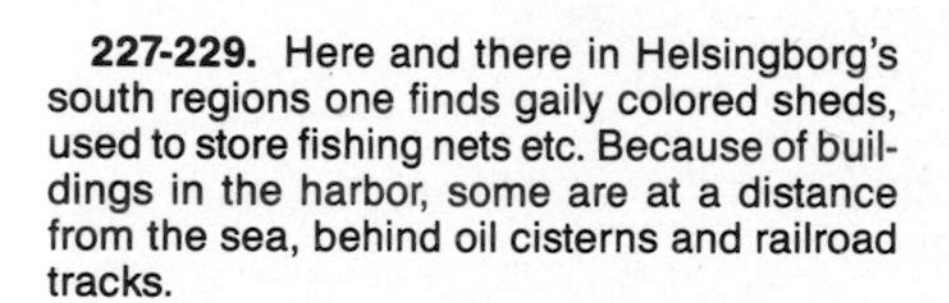

227-229. Here and there in Helsingborg's south regions one finds gaily colored sheds, used to store fishing nets etc. Because of buildings in the harbor, some are at a distance from the sea, behind oil cisterns and railroad tracks.

227-229. Überall in der südlichen Region der Stadt finden wir farbenfreudige Läden mit Beziehungen zum Fischfang. Der Hafenneubau hat diese Läden in eine nicht passende Lage versetzt, hinter Ölbehälter und Gleisen.

229

230. "Hur går röken idag?" undrar många av de som har sina bostäder i detta intensiva industriområde.

De låga byggnaderna i förgrunden är Högastensskolan.

230. "How goes the smoke today?" many of them wonder who have their homes in this intensive industry area. The low buildings in the foreground are the Högasten school.

230. "Wie geht der Rauch heute"? So fragen sich viele Bewohner in diesem Industriegebiet. Das flache Gebäude im Vordergrund ist die Högastensschule.

231

232

233

231. I Raus Plantering, nu enbart kallat Planteringen, ligger detta trevliga gamla hus, där livsmedelshandel fortgått i samma familj sedan 1899.
232. På höjderna öster om Planteringen ligger Elineberg.
233. På höjden vid gamla Raahus, med utsikt över Öresund, har AGA-Frigoscandia ett modernt kontorshus.

231. In Raus Plantation, now simply called The Plantation, lies this pleasant old house, where the food shop has been in the same family since 1899.
232. On the hill east of the Plantation lies Elineberg.
233. On the hill near the old Raahus, with a view over the Sound AGA-Frigoscandia has a modern office building.

231. In Raus Plantering liegt dieses alte, hübsche Haus, seit 1899 ist die Lebensmittelhandlung ein Familienbetrieb.
232. Auf der Höhe östlich von Planteringen liegt Elineberg.
233. Auf der Höhe beim alten Raahus, mit Aussicht über den Öresund, liegt das moderne Bürohaus von AGA-Frigoscandia.

234. Höghusen på Elineberg, varifrån man har en vidunderlig utsikt över Öresund och stora delar av det Helsingborg som ligger nedanför branterna.

234. The highrise buildings at Elineberg, from where one has an incredible view over the Sound and a large part of Helsingborg which lies below the precipices.

234. Die Hochhäuser in Elineberg, von hier haben wir einen grossartigen Ausblick über den Öresund und ein grossen Teil von Helsingborg.

235

236

237

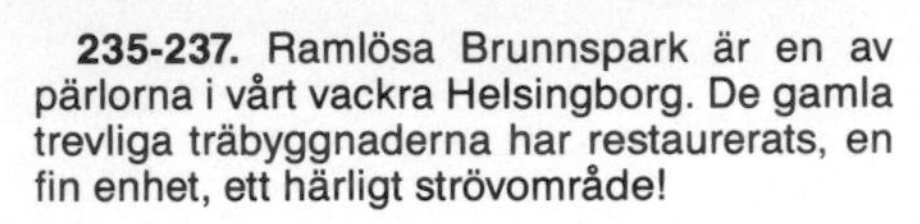

235-237. Ramlösa Brunnspark är en av pärlorna i vårt vackra Helsingborg. De gamla trevliga träbyggnaderna har restaurerats, en fin enhet, ett härligt strövområde!

235-237. Ramlösa Spa Park is one of the pearls in our beautiful Helsingborg. The old pleasant wooden buildings have been restored, a fine unity, a lovely rambling area!

235-237. Ramlösa Brunnenpark ist eine Perle in unserer hübschen Stadt. Die alten beschaulichen Holzhäuser sind modernisiert worden.

238. Liksom de flesta villorna i brunnsparken är Brunnshotellet (förr Stora Hotellet) målat i gult och vitt. Många kungliga baler och andra festligheter har hållits i Ramlösa Brunn, nu kan vem som helst under sommartid få sig en måltid där.

Under 17-1800-talen var brunnsdrickningen internationellt känd — Ramlösavattnet är världsberömt genom den omfattande försäljningen i flaskor.

238. As are most of the houses in the spa's park, the Brunnshotel (former Stora Hotellet) is painted yellow and white. Many royal balls and other festivities have been held at Ramlösa Brunn, now those who want may have a meal there in the summer.

In the 17 and 1800's the spa was internationally known. The Ramlösa water is world famous, through the extensive sale of it in bottles.

238. Im Brunnspark sind die Villen und das Brunnshotel in gelb und weiss gestrichen. Königliche Bälle und Feste wurden hier in Ramlösa Brunn abgehalten, nun kann ein Jedermann hier zum Essen gehen. In den Jahren 1700-1800 war das Brunnenwassertrinken international bekannt. Ramlösa vatten (Quellwasser) ist weltberühmt.

239

240

241

239,240. Längs den norra delen av Ramlösaparken går en dalgång med Lussebäcken. Här nere ligger också källorna och brunnssalen. Vackra promenadvägar genomkorsar området.
241. I villasamhället ovan dalen finner man prov på många trevliga villatyper av litet ovanligare slag.

239,240. Along the northern part of Ramlösa park runs a valley with Lusse creek (Lussebäcken). Here at the very bottom lies also the wells and the spa-hall. Pretty walking paths cross the area.
241. In the community of homes above the valley one finds samples of many nice types of houses which are somewhat unusual.

239,240. Parallel mit dem nördlichen Teil des Ramlösa-Parks finden wir im Tal den "Lussebäcken" (Bach). Hier liegt die Quelle und der Brunnensaal. Man findet hübsche Wanderwege in der Umgebung.
241. In der Villaumgebung über dem Tal gibt es viele ungewöhnliche Baustile.

242

243

244

242. Särskilt de södra områdena av Helsingborg är rika på fornlämningar och med en mångfald ättehögar, som här på Ättekulla.

243. Raus kyrka från 1100-talet ligger vackert vid Råå-ån, där en bro ersatt det gamla vadstället.

244. Den gamla landsvägen från Landskrona in mot Råå med vattentornet från 1917 t.v. var förr den första kontakten med Helsingborg. Nu går en motorväg längre österut.

242. Especially the southern areas of Helsingborg are rich in prehistoric monuments and many old burial places, such as here at Ättekulla.

243. Beautiful Raus Church from the twelfth century lies along-side the Råå creek, where a bridge has replaced the old ford.

244. The old road from Landskrona towards Råå, with the water tower from 1917 to the left, was the first thing seen upon entering Helsingborg. Now a highway runs further to the east.

242. Besonders der Süden von Helsingborg ist reich an vorzeitliche Altertümer und Hünegräber, wie hier in Ättekulla.

243. Raus Kirche vom 12 Jhdt. liegt hübsch am Råå-Flüsschen. Die Brücke ist ein Ersatz für den alten Furt.

244. Die alte Landstrasse Landskrona — Råå mit Wasserturm von 1917, dieser war die erste Bekanntschaft mit Helsingborg. Weiter östlich haben wir nun eine Autobahn.

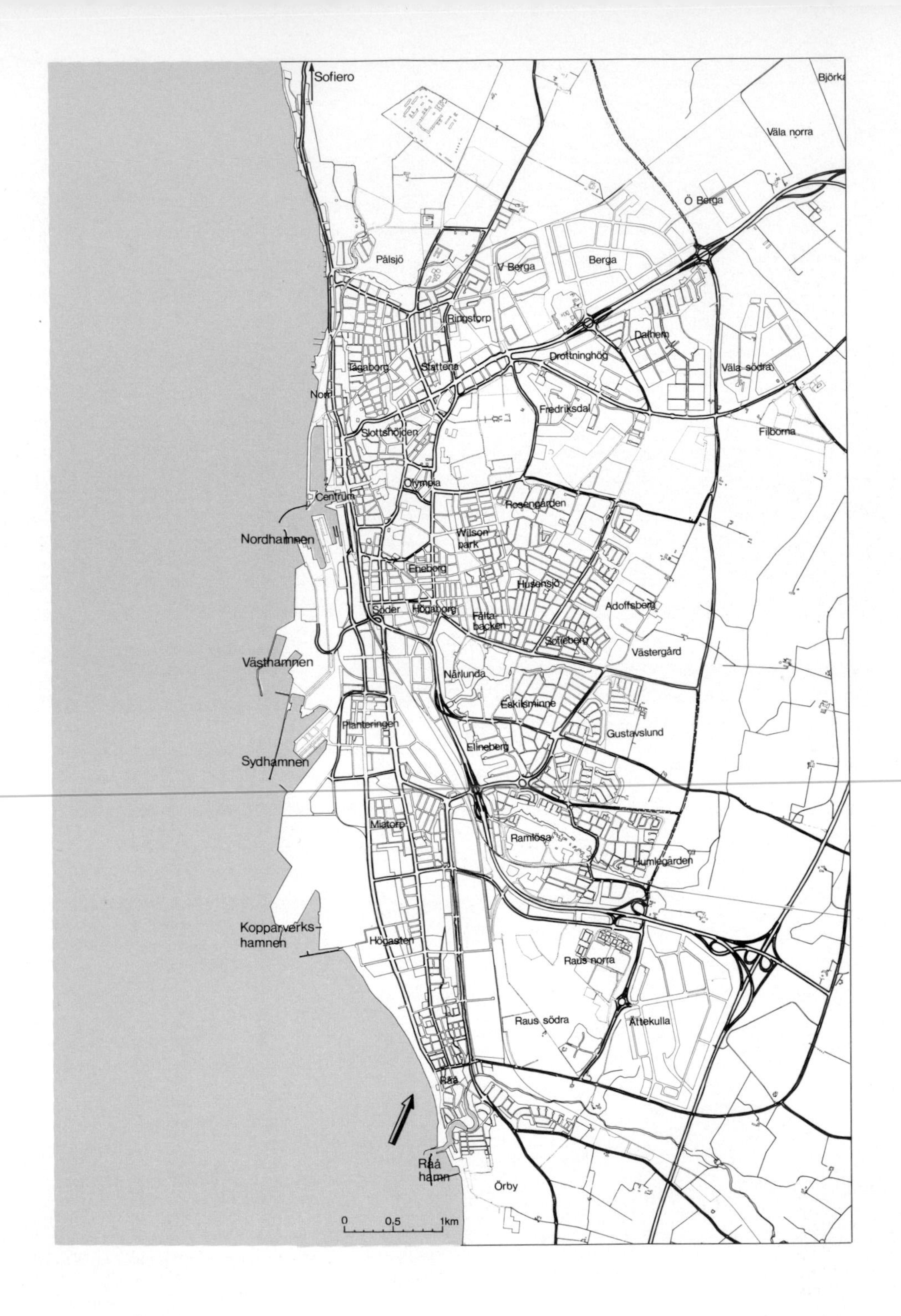
Sofiero
Björka
Väla norra
Ö Berga
Pålsjö
V Berga
Berga
Ringstorp
Dalhem
Tågaborg
Stattena
Drottninghög
Väla södra
Norr
Fredriksdal
Slottshöjden
Filborna
Olympia
Centrum
Rosengården
Nordhamnen
Wilson park
Eneborg
Husensjö
Adolfsberg
Söder
Högaborg
Fältabacken
Sofieberg
Västergård
Västhamnen
Närlunda
Eskilsminne
Planteringen
Gustavslund
Elineberg
Sydhamnen
Miatorp
Ramlösa
Humlegården
Kopparverks-
hamnen
Högasten
Raus norra
Raus södra
Ättekulla
Råå
Råå
hamn
Örby
0
0,5
1km